„Die gefährlichste aller Weltanschauungen ist die Weltanschauung der Leute, welche die Welt nicht angeschaut haben."

Alexander von Humboldt

Hans Madej *hat sich über den Fotoauftrag zur Kroatischen Adriaküste besonders gefreut, verbindet er mit der Region doch einschneidende Erlebnisse: Hier hat er seine erste große Liebe getroffen und wurde 1992 mit der Realität des Krieges konfrontiert.*

Veronika Wengert *hat als freie Journalistin und Übersetzerin mehrere Jahre in Zagreb gelebt. Heute erkundet sie die kroatische Küste, sooft es geht, von Bayern aus. Bei 1244 Inseln gibt es schließlich noch viel zu entdecken!*

Liebe Leserinnen, liebe Leser!

Welches Land kann sich rühmen, mehr als tausend Inseln und Felsriffe zu haben, die aus dem azurblauen Meer ragen? Teils sind es karge Inseln, auf denen genügsame Schafe Kräuter kauen, teils sind es aber auch subtropisch blühende Paradieslandschaften, die mit Zitronenbäumen oder blutroten Granatäpfeln sprichwörtlich verführen – zum Wiederkommen.

Badebuchten für jeden Geschmack

Jede Insel, jedes Inselchen hat tolle Badebuchten mit kristallklarem Wasser. Und damit nicht genug, auch auf dem Festland gibt es jede Menge herrlichster Strände, schließlich hat Kroatien eine Küstenlänge von fast 1800 km. Die schönsten Badebuchten stellt Ihnen Veronika Wengert auf S. 30 vor. Einige von ihnen liegen so versteckt, dass man sich wie Robinson Crusoe fühlen mag, an anderen gibt es Cocktailbars und Restaurants, sodass man gleich bis in den Abend hinein bleiben kann.

Mal anders übernachten …

Aber auch das kroatische Hinterland hat viel zu bieten. Zu einer regelrechten „In-Destination" hat sich in den letzten Jahren Istrien entwickelt. Manche vergleichen die Region mit der Toskana. Natürlich nicht mit der heutigen, sondern mit der Toskana, wie sie vielleicht vor dreißig oder vierzig Jahren ausgesehen hat. Istriens Hinterland ist eine wunderschöne, leicht hügelige, stellenweise noch weitgehend unberührte Landschaft mit Wäldern, Weinbergen und Feldern. Hier übernachtet man am besten in einem Ferienhäuschen. Viele Domizile sind recht individuell und komfortabel ausgestattet, verfügen über einen eigenen Pool und laden geradezu ein zu einem ruhigen Urlaub abseits der Touristenzentren. Verschiedene besonders ausgefallene Unterkünfte an der Küste oder im Hinterland präsentieren wir Ihnen auf S. 110. Die Skala reicht vom Bio-Bauernhof über einstige Fischerhütten bis zum Designhotel oder der orientalischen Villa mit Privatstrand. Herzlich

Ihre

Birgit Borowski

Birgit Borowski
Programmleiterin DuMont Bildatlas

Grünes Istrien 36 – 47

Blaues Istrien 20 – 35

Kvarner Bucht 48 – 65

Norddalmatien 66 – 81

Mitteldalmatien 82 – 101

Süddalmatien 102 – 115

Maßstab 1:2.000.000

0   40 km

Topziele

Die bedeutendsten Ziele an der Kroatischen Adriaküste auf den Gebieten Kultur, Natur und Erleben haben wir hier für Sie zusammengestellt. Auf den Infoseiten ist das jeweilige Highlight mit **TOPZIEL** *gekennzeichnet.*

KULTUR

1 **Rovinj:** Auf einer aufgeschütteten Insel erhebt sich höchst malerisch die Altstadt. **Seite 34**

2 **Freskenzyklus in Sv. Marija:** In einem Kirchlein bei Pazin schildern spätgotische Fresken den Totentanz. **Seite 46**

3 **Altstadt von Zadar:** Neben alten Sakralbauten wie der Domkirche haben ungewöhnliche Installationen hier ihren Platz. **Seite 80**

4 **Diokletian-Palast:** Die Altstadt von Split wird durch den Diokletian-Palast bestimmt. Hat man die Tore passiert, trifft man auf Tempel und eine Kathedrale und genießt im ehemaligen Peristyl seinen Kaffee. **Seite 100**

5 **Dubrovnik:** Stadtmauer und Paläste, Einkaufsmeile und Theater – die Stadt in Süddalmatien hat ihren eigenen Zauber. **Seite 114**

ERLEBEN

6 **Kieselstrand von Baška:** Außer Badevergnügen hat der Strand im Südosten der Insel Krk ein wunderschönes Panorama zu bieten. **Seite 64**

NATUR

7 **Nationalpark Plitwitzer Seen:** Dröhnend stürzt das Wasser in Kaskaden in die Tiefe. Pfade und Stege führen die Naturbegeisterten durch den Nationalpark. **Seite 79**

8 **Kornaten:** Am besten segelt man mit dem eigenen Boot durch den Nationalpark. Die Fülle an Inselchen und Riffen und die Einsamkeit machen den Törn so attraktiv. **Seite 81**

9 **Goldenes Horn auf der Insel Brač:** Das sichelförmige Zlatni rat ist *der* Badestrand auf der Insel Brač. Familien mit Kindern fühlen sich hier genauso wohl wie Surfer. **Seite 100**

10 **Insel Korčula:** Auf der Insel im Süden Dalmatiens kontrastieren Wälder auf den Höhen mit Oliven- und Mandelbäumen, weite Strände mit kleinen Buchten. **Seite 113**

Im Anflug

. . . .

Es hat schon etwas (auch im Wortsinn) Erheben-
des, wenn man sich, mit Motorkraft vom Wasser
aus getrieben, in die Höhe schwingen kann, um
wie Ikarus unter dem Blau des Himmelszelts dahin-
zusegeln. Damit dabei anders als in der klassischen Sage niemand der Sonne zu nahe kommt,
hält uns eine Leine fest mit dem Boot verbunden,
das wir aber auch gern vergessen, um uns wie im
freien Flug zu fühlen: im Anflug auf den alten
Hafen von Dubrovnik, dessen historisches Zentrum zum Welterbe der UNESCO gehört.

In voller Schönheit

So unterschiedlich die Herrscher, so vielfältig die Bauten, mit denen sie sich in Kroatien verewigt haben. In der Euphrasius-Basilika in Poreč kommen bauliche Einflüsse aus Venedig, Rom und Byzanz zusammen. Was gibt es allein in der Apsis mit ihren aufwendigen Mosaiken nicht alles zu entdecken: Heiligenfiguren mit ihren Attributen, zahlreiche Ornamente und kunstvoll verzierte Kapitelle.

Zwischen Fels und Badestrand

· ·

Schroff, ja, aber auch reichlich grün – auf der
Insel Cres begeben sich Naturliebhaber auf steile
Pfade. Im Duft der mediterranen Landschaft
lässt sich manche Steigung der Tramuntana
erklimmen, das blaue Meer tief unten immer
fest im Blick.

Inselorte mit Charakter

Es ist so ein Ding mit der korrekten Aussprache der konsonantenreichen kroatischen Wörter. „Hvar" geht noch einigermaßen flüssig über die Lippen. Sollte es auch, denn der Besuch der Insel ist ein Muss. Jenseits von Lavendel und Weinstöcken liegen wunderschöne Orte, wie Hvar – geschützt in einer Bucht, mit venezianischem Einschlag und Spanischer Festung.

Romantik im Gassengewirr

....

Bis dicht ans Ufer ziehen sich die Häuserzeilen
von Rovinj. Das abendliche Licht des istrischen
Städtchens zaubert ein violettes Farbspiel aufs
Wasser. Läuft man durch die Gassen, so ist der
Einfluss von Venedig unverkennbar: in den
Häusern, angesichts des Campanile, in der gan-
zen Atmosphäre.

Die interessantesten Perspektiven

Zu Wasser, zu Lande und aus der Luft

So weit das Auge reicht, schmiegt sich die kroatische Küste an die Adria. Entsprechend viel gibt es zu entdecken: Wer nicht nur klassisch mit dem eigenen Auto nach Süden reisen möchte, hat viele Möglichkeiten, voranzukommen: Die tollsten Fortbewegungsmittel, die wir Ihnen hier vorstellen, öffnen zudem ganz neue Perspektiven – etwa von hoch oben oder auch vom Wasser aus.

③ Nostalgiker für einen Tag: Mit dem VW-Käfer Cabrio on tour

Rot, blau, grün oder gelb: In leuchtenden Farben präsentieren sich die VW Käfer-Cabrios, die Ante Ćatipović in den vergangenen Jahren liebevoll restauriert hat. Mittlerweile wuchs der Fuhrpark auf etwa 60 VW-Käfer ohne Verdeck an, die Touristen an mehreren Standorten auf den Inseln Hvar und Vis für Spritztouren anmieten können.

Rent a car Rapidus, vier Standorte auf der Insel Hvar, einer auf der Insel Vis; Bereitstellung der Fahrzeuge tgl. rund um die Uhr an jeden gewünschten Ort; Buchung telefonisch 098/44 76 35 oder im Internet: www.rapidus.hr

② Korallenjäger für einen Morgen: Mit der lokalen Fähre auf die Insel Zlarin

Die geschäftige Uferpromenade von Šibenik bleibt zurück, während die lokale Fähre „Tijat" der Insel Zlarin entgegensteuert. Das betagte Schiff, 1955 erbaut, hat längst schon Kultstatus und eine eigene Facebook-Fanseite. Mit an Bord: Überwiegend Einheimische, die ihre Schätze vom Grünmarkt nach Hause tragen. Auf der autofreien Insel taucht man in eine andere Zeit ein: So könnte es bereits ausgesehen haben, als die Bewohner noch von der Korallenjagd lebten, woran ein Museum und zwei Schau-Manufakturen erinnern – ehe die Tijat wieder ihren Anker lichtet.

Anreise ab Šibenik (nähe Busbahnhof), bis zu fünf Mal täglich mit Jadrolinija (www.jadrolinija.hr).

① Möwe für den Augenblick: Dubrovnik von oben

Fast ein wenig zu schnell vergeht die Fahrt: In gut drei Minuten zieht sich die gläserne Seilbahnkabine weit über die Altstadt von Dubrovnik. Von ganz oben, der Plattform des Hausbergs Srđ, wirkt sogar die trutzige Stadtmauer winzig. Besonders romantisch: An Sommerabenden leuchtet die Stadt in einem fast unwirklichen Licht. Eine bessere Perspektive über die vorgelagerte Inselwelt haben nur die Möwen!

Žičara (Seilbahn), Petra Krešimira IV bb, Dubrovnik, www.dubrovnikcablecar.com, Juni–Aug. 9.00–24.00 Uhr, sonst kürzer

4 Entdecker für einen Vormittag: Mit der Rikscha durch Split

Die flirrende Mittagssonne schirmt ein kleines Zeltdach über den Köpfen der Passagiere ab, während ihnen ein leichter Fahrtwind um die Nase bläst: Auf der Rückbank einer Rikscha lassen sich Diokletianspalast, Grünmarkt und die palmenumrankte Riviera von Split sehr komfortabel erkunden. Wem es tagsüber zu heiß ist, kann eine Tour bis Mitternacht vereinbaren – oder sich einfach zum Strand radeln lassen, um die Einheimischen beim typischen Wasserballspiel Picigin zu beobachten.

Agentur Intendant, Đakovačka 3, Split, Tel. mobil 095/882 74 08, www.riksa.net

5 Fischer für einen Abend: Im Ruderboot um Rovinj

Den schönsten Blick auf den Altstadthügel von Rovinj hat man vom Meer aus: Einheimische Fischer rudern ihre Gäste in den traditionellen, hölzernen Batana-Booten rund um die ursprüngliche Insel, die heute mit dem Festland verbunden ist. Im Schein der Laternen wirken die Steinhäuser am Ufer noch malerischer als sonst. Vor der Bootsfahrt gibt es ein wenig Hintergrundwissen im Batana-Museum, nach der Romantik-Fahrt kommt ein zünftiges Fischermahl in der Konoba Spacio Matika auf den Tisch.

Haus der Batana, Obala P. Budicina 2, Rovinj; Tel. 091/ 223 88 00; www.batana.org; Ende Juni–Anfang Sept jeden Di. u. Do. 19.30–23.00 Uhr, 260 Kuna (Reservierung erforderlich).

6 Winzer für einen Nachmittag: Mit dem Radl in den Weinberg

Ein Fahrrad als Fortbewegungsmittel ist nichts Ungewöhnliches – aber mit dem Drahtesel eine Wein-Tour unternehmen? Winzer Mario Bartulović führt seine Gäste jeweils durch drei Weingüter und einen Weinberg auf der Halbinsel Pelješac, erzählt die lange Tradition seiner Winzerfamilie und tischt in einer traditionellen Konoba dalmatinische Gerichte auf. Auch Radfahrer, die ihr Gefährt nur einmal jährlich nutzen, können problemlos mitradeln, verspricht der erfahrene Experte.

Buchung per E-Mail tours@ bartul.com oder im Internet www.vinarijabartulovic.hr, 1–8 Pers., ab 70 Euro.

Küste, von Kirchtürmen gesäumt

Der Urlaub in Kroatien beginnt in Istrien, dem westlichsten Ausläufer des Landes. Die herzförmige Halbinsel, bei deren Vielfalt man schnell ins Schwärmen gerät, räkelt sich weit in die Adria hinein. Ihren Küstensaum veredeln Städte aus weißem Kalkstein, deren venezianische Kirchtürme scheinbar den Himmel berühren, aber auch schöne Strände.

Bunte Häuserfassaden grüßen den Ankommenden im Hafen von Fažana, einem kleinen Küstenort nahe Pula.

Besser lässt sich ein Tag kaum beginnen – mit einer Kava, stilecht in einem Straßencafé. Zwischen Glockenturm und Einkaufsstraße sitzend, schaut man in Umag zu, wie das Leben der Stadt erwacht.

Venezianisch geprägt sind viele Orte in Istrien, in deren Häfen hölzerne Fischerboote und blank polierte Jachten schaukeln wie hier in Novigrad (rechts). Ein Zeichen für den Einfluss Venedigs ist der geflügelte Löwe (oben: in Umag).

Rote Hausdächer und ein Glockenturm bestimmen das Bild von Umag.

„Ich fühlte mich geborgen, wohl, in Piran, dieser widerspenstigen Meerstadt …"

Katja Gasser

Eine wohlgenährte Ziege mit grünblauem Rumpf, die munter auf ihren Hinterbeinen wippt: Mit diesem freundlichen Logo präsentiert sich das kroatische Istrien. Geografisch umfasst die Halbinsel auch einen Teil Sloweniens und Italiens, da alles, was unterhalb einer imaginären Linie von Triest bis Rijeka verläuft, zu Istrien gehört.

Das Blau der kecken Ziege symbolisiert die mediterrane Küste mit ihren venezianisch geprägten Städtchen. Das Grün steht für die sanfte, von mittelalterlichen Burgstädtchen auf Bergkuppen geprägte Hügellandschaft im Landesinneren. In der Ziege, einem traditionellen Nutztier der Region, verschmelzen das Blaue und das Grüne Istrien symbolisch miteinander. Welche Naturlandschaft reizvoller ist, kann jeder Besucher für sich selbst herausfinden. Ein kleiner Trost für Unentschlossene: Kein Ort im Landesinneren Istriens ist mehr als eine Autostunde von der Küste entfernt.

Unerlässlich: die Kava

Sonne und Meer prägen das blaue Istrien, die Lebensart der Menschen ist südländisch gelassen. Am meisten profitieren vermutlich die Straßencafés mit ihren schattenspendenden Markisen, Sonnenschirmen und gepolsterten Korbsesseln davon. Denn erst nach dem Genuss eines pechschwarzen Espresso, der Kava, kann der Tag so richtig beginnen. Eine Gepflogenheit, die auch anderswo in Kroatien, nicht nur an der mediterranen Küste, den Alltag vieler Menschen prägt.

Die in winzigen Tassen servierte Kava kann dabei sehr lange für Beschäftigung sorgen. Nach jedem Nippen wird ein Schluck Leitungswasser genommen, das meist unaufgefordert auf den Tisch kommt. Die Aufmerksamkeit wird höchstens von einer vorbeiknatternden Vespa abgelenkt, vom kurzen Plausch mit dem Kellner oder dem Blättern in der Tageszeitung. Danach gehört die Konzentration wieder voll und ganz dem angenehm aromatischen braunen Getränk.

Zankapfel: die Bucht von Piran

Das Meer, das Istrien umspült, kennt jedoch nicht nur mediterrane Gelassenheit. Über viele Jahre war die nördliche Adria, zumindest auf politischer Ebene, Zankapfel zwischen Kroaten und Slowenen. Genau genommen ging es um den Grenzverlauf in der Bucht von Piran, über den sich beide Länder seit ihrer Unabhängigkeit von Jugoslawien 1991 nicht einig werden konnten. Zu sozialistischen Zeiten war die Bucht von Slowenien aus verwaltet worden. Mit der Entstehung

Zeit für ein Schwätzchen auf dem Markt in Rovinj – auch das gehört
zur mediterranen Gelassenheit.

Wenn auch nicht die traditionellen Batanas, so prägen doch heute noch
Boote die Gewässer um Rovinj. Eine Werft ist da nicht wegzudenken.

Auf aufgeschüttetem Land entstand einst die charmante Altstadt von Rovinj.

Fischfang ist harte Arbeit und in Rovinj weiterhin eine wichtige Einnahmequelle.

eigener Nationalstaaten und entsprechend neuer Grenzen änderte sich das: Über Nacht berührten sich die slowenisch-italienische und kroatisch-italienische Gemarkung in der Bucht, sodass die Slowenen de facto keinen eigenen Zugang zum offenen Meer hatten. Kroatien hielt an einer internationalen Seerechtskonvention fest und forderte, dass die Grenze genau durch die Mitte der Bucht verlaufen solle. Was wiederum den Slowenen ein Dorn im Auge war, strebten sie doch einen eigenen Zugang zu internationalen Gewässern an. Die Situation spitzte sich so weit zu, dass Slowenien sein Veto nutzte und die Beitrittsverhandlungen Kroatiens zur EU fast ein Jahr lang blockierte. Man beschloss, den Streit in die Hände eines internationalen Schiedsgerichts zu legen – somit war der Weg frei für die EU-Mitgliedschaft Kroatiens: Seit Juli 2013 ist Kroatien das 28. Mitglied der europäischen Staatenfamilie. Das Urteil des europäischen Schiedsgerichts hingegen folgte 2017: Der Großteil der Bucht gehört zu Slowenien! Kroatien akzeptiert das so aber nicht – der Zank geht weiter …

Kein Haus ohne Fischerboot

Viele Familien, die an der Küste leben, besitzen ein Fischerboot. Je nach Region haben die schwimmenden Untersätze nicht nur ihr individuelles Aussehen, sondern auch eigene Bezeichnungen. In Rovinj gehörte die Batana früher fest zum Alltag am Meer. Das Gerüst der traditionellen Boote wurde aus robustem Eichenholz gefertigt, während man für die Verschalung meist Wacholder wählte. Nur handgeschmiedete Nägel hielten die Bretter einer Batana zusammen. Charakteristisch ist der flache Boden, der das Fischen in felsiger Küstengegend ermöglichte.

Während auf kurzen Strecken gerudert wurde, hisste der Steuermann auf offener See viereckige Baumwollsegel in den Farben Grün, Rot oder Gelb. An der Farbkombination konnte man den Besitzer schon von Weitem erkennen.

Die Tradition lebt weiter

Heute sind die leuchtenden Segel aus dem Hafen von Rovinj weitgehend verschwunden. Sie wichen zeitgemäßen Außenbord-

motoren. Man schätzt, dass es in Rovinj gegenwärtig nur noch rund 50 Batanas gibt. An die Tradition erinnert aber auch das Batana-Ökomuseum, das seit 2016 von der UNESCO in das „Register guter Praxisbeispiele der Erhaltung immateriellen Kulturerbes" aufgenommen wurde.

Ein Ort der Götter

Istrien blickt auf eine lange Besiedelung zurück. Illyrer waren hier schon ab etwa

„Istrien ist ein Ort, an dem sich bereits die römischen Patrizier wie Götter fühlten." Plinius der Ältere

1200 v. Chr. ansässig, der Stamm der Histrier schenkte der Halbinsel ihren Namen. Und die Römer, die im 2. Jahrhundert v. Chr. folgten, haben die Gegend recht markant geprägt: Unter Kaiser Augustus wuchsen bereits im 1. Jahrhundert v. Chr. urbane Siedlungen wie die Colonia Pietas Iulia Pola, das heutige Pula. Die römische Kolonie besaß ein Forum, Tempel und sogar ein Amphitheater. Dessen mächtige Ausmaße verdeutlichen, welche

Vom Turm der Euphrasius-Basilika aus kann man den Blick weit über die roten Dächer der Stadt Poreč und das Meer schweifen lassen.

Auf Steinquadern schreitet man heute über den Decumanus und ist so der Zeit der Römer verbunden. Gleichzeitig hat man die Bauten der Venezianer rechts und links der Flaniermeile im Blick.

Euphrasius-Basilika in Poreč

Byzantinisches Kleinod aus Marmor

Von den prächtigen byzantinischen Mosaiken am Triumphbogen lassen sich ikonografische Verbindungen zu Mosaiken in Ravenna herstellen.

Mit Schiffen waren die wuchtigen weißen Marmorblöcke aus dem Prokonnesos-Steinbruch im Marmara-Meer an Istriens Westküste gelangt. Was man daraus formte, gilt bis heute als eines der wichtigsten Denkmäler byzantinischer Sakralbaukunst in Kroatien: die Euphrasius-Basilika in der Altstadt von Poreč.

Errichtet wurde diese im 6. Jahrhundert, als Istrien unter dem Einfluss von Byzanz stand. Ihren Namen erhielt die Basilika von Euphrasius, einem der sieben legendären Bischöfe, die Petrus und Paulus einst ausgesandt haben sollen, der als ihr Erbauer und Stifter gilt. Über die Jahrhunderte hinweg konnte sich das bauliche Kleinod sein Aussehen fast unverändert bewahren, seit dem Jahr 1997 steht es unter dem Schutz der UNESCO.

Der Baukomplex umfasst den Bischofspalast, Atrium, Narthex (Vorhalle), eine kleine Kapelle und ein Baptisterium in oktogonaler Form mit

Taufbecken. Das Atrium rahmen Marmorsäulen mit Kapitellen. Höhepunkt sind die antiken Mosaiken. So soll das Bodenmosaik mit dem Fisch als Symbol der Christenheit aus dem 4. Jahrhundert stammen – aus einem früheren Bauwerk, auf dessen Fundament die Basilika errichtet wurde. Imposant sind auch die Mosaiken in der Apsis: Sie zeigen die Muttergottes mit dem Jesuskind auf dem Arm, von einer Gruppe von Engeln und Märtyrern flankiert, darunter auch Euphrasius.

Im Atrium der Euphrasius-Basilika.

Bedeutung der Stadt am Südende Istriens zugemessen wurde. Wer heute in Pula baut, stößt nicht selten auf archäologische Funde – stumme Zeugen einer reichen Vergangenheit. An der hatten später auch Venezianer und Habsburger ihren gebührenden Anteil.

Schmelztiegel der Kulturen

Der geflügelte steinerne Löwe, der bis heute über vielen Stadttoren und Hauseingängen in Istrien wacht, zeugt von der langen Vorherrschaft der Venezianischen Republik, als deren Wahrzeichen er galt. Doch nicht nur die Venezianer, die den Römern folgten, hinterließen ihre architektonischen und kulturellen Spuren. In Istrien kreuzten sich die Wege vieler Kulturen. Davon zeugen etwa die byzantinische, zum UNESCO-Welterbe zählende Euphrasius-Basilika in Poreč oder die venezianischen Glockentürme von Rovinj und Labin, aber auch Pulas alter Marinegedenkfriedhof, der mit seinen deutschsprachigen Grabinschriften an die K.-u.-k.-Monarchie erinnert. Diese baute den Standort Pula zu ihrem führenden Marinestützpunkt in der Adria aus.

Als nach Ausbruch des Ersten Weltkriegs auch die Donaumonarchie zerfiel, besetzten italienische Truppen die Halbinsel. Mit dem Vertrag von Rapallo wurde Istrien 1920 Italien zugeschlagen, unter dem faschistischen Regime Benito Mussolinis spitzte sich die Stimmung gegen die slawische Bevölkerung zu. Kroatische Schulen wurden geschlossen, viele Bewohner wanderten in andere Regionen des Landes oder gleich in den Westen ab.

Nach dem Zweiten Weltkrieg, als Istrien Titos sozialistischem Jugoslawien zugesprochen wurde, wendete sich das Blatt. Zehntausende Italiener verließen die Halbinsel. Die italienische Bevölkerung ist heute drastisch geschrumpft, pflegt jedoch mit einem eigenen Vertreter im Parlament in Zagreb, eigenen Schulen, Rundfunksendungen und einer Tageszeitung ihre Kultur. Auch wer in Istrien keine italienischen Wurzeln hat, versteht die Sprache oft ein bisschen. So

In Pula harmonieren lebhaftes, modernes Großstadtleben und die stets präsente vielschichtige Vergangenheit.

Spotlights in Pula: Auf dem Marinegedenkfriedhof (oben) erinnern Grabmale an deutsche und italienische Soldaten sowie an Seeleute der Donaumonarchie. James Joyce, in Bronze gegossen (rechts), schenkt dem Geschehen vor dem Café Uliks, dem kroatischen Wort für Ulysses, seine gelassene Beachtung.

Der Triumphbogen der Sergier, zu römischer Zeit errichtet, war zur Stadtseite hin mit Dekoren versehen. Heute dient er Veranstaltungen auf dem Platz davor als eindrucksvolle Kulisse.

Arena von Pula

Special

Brot und Spiele

Romantischer kann Kino kaum sein: Sterne blitzen am Himmel, während auf der Leinwand geküsst wird. Beim Filmfestival von Pula zählt nicht nur der Inhalt, sondern auch der Ort: das stimmungsvoll beleuchtete Amphitheater.

Die Arena gilt als bedeutendste Sehenswürdigkeit der Stadt. Wo einst Gladiatoren ihre Kämpfe austrugen, stehen heute Klappstühle. Doch nur an wenigen Tage im Jahr wird hier Bühnentechnik aufgebaut und längst nicht für jeden. Während der globalisierungskritische Ethno-Sänger Manu Chao grünes Licht bekam, untersagte die Stadt dem Skandalrocker Marilyn Manson ein Konzert.

Die Arena, mit deren Bau noch unter Kaiser Augustus (30–14 v. Chr.) begonnen worden war, erhielt ihr endgültiges Gesicht unter Kaiser Vespasian im ersten Jahrhundert n. Chr. Dieser ließ das Bauwerk für seine in Pula geborene Konkubine Antonia Cenida fertigstellen, um ihr „Brot und Spiele" zum Zeitvertreib zu bieten.

Große Arkaden durchbrechen die Mauer.

Bei den Maßen des elliptischen Bauwerks zeigte er sich großzügig: 132 auf 105 Meter misst es, mit Platz für 25 000 Zuschauer, und gilt damit als eines der größten Amphitheater weltweit. Heute passen noch gerade mal halb so viele Gäste in die Arena. Das Mauerwerk ist verhältnismäßig gut erhalten. Daran hat auch der venezianische Senator Gabriele Emo seinen Anteil: Er verhinderte, dass die Arena abgetragen und in Venedig wiederaufgebaut wurde.

wird man nicht selten mit einem schwungvollen „Buon giorno" begrüßt. Und natürlich von zweisprachigen Ortstafeln, die den Besucher auf Kroatisch in Pula und auf Italienisch in Pola willkommen heißen.

Porträt des Dichters als Geograf

Dass die Grenzen in Istrien allein im vorigen Jahrhundert mehrfach verschoben werden sollten, konnte James Joyce nicht ahnen. Aber für den irischen Schriftsteller, der mit seinem literarischen Meisterwerk „Ulysses" Weltruhm erlangte, stand zumindest eines fest: Pula sei ganz einfach im Atlas zu finden, schrieb er seinem Bruder Stanislaus in einem Brief nach Dublin: Es liege zum einen „gleich neben der Türkei" und würde zum anderen nur durch eine Bucht von Venedig getrennt. Heute erinnert eine Bronzeskulptur an den Dichter, der im Jahr 1904 aus Triest für ein Jahr nach Pula gekommen war, um dort als Englischlehrer zu unterrichten. Sie wurde im Schatten des Triumphbogens der Sergier platziert, bei einem Kaffeehaustisch sitzend mit Blick auf die Flaniermeile. In dem Haus, in dem Joyce wohnte, war auch die Sprachschule untergebracht. Zwischen den Café-Gästen wirkt der bronzene Schriftsteller, als beobachte er das Leben in Pula, um Stanislaus in seinem nächsten Brief darüber berichten zu können (garniert mit ein paar geografischen Anmerkungen vielleicht).

Die schönsten Badeplätze

Sommer, Sonne, Strand

Versteckte Buchten, die von kristallklarem Meerwasser umspült werden, finden sich nicht nur auf den kroatischen Inseln – auch auf dem Festland gibt es Badestrände für jeden Geschmack: Mal passt das Badehandtuch auf mächtige Natursteine, mal kitzeln Kieselsteine die Sonnenanbeter zwischen den Zehen. Anderswo lassen sich mächtige Sandburgen am Strand bauen.

1 Zlatni rat (Bol, Insel Brač)

Der schönste Strand Kroatiens ist zugleich das Lieblings-Postkartenmotiv: Zlatni rat, das Goldene Horn, ragt auf der Insel Brač sichelförmig ins Meer hinein. Die Landzunge aus Sand und Kiesel formt sich je nach Laune von Wind und Wellen: Mal biegt sie sich nach rechts, mal nach links. An diesem schattigen Badestrand treffen sich alle: Windsurfer, Sonnenanbeter und FKK-Anhänger. Wunderschön ist der Ausblick vom Gipfel der Vidova Gora, der oberhalb der Strandidylle hoch in den blauen Sommerhimmel ragt.

Anreise: Parkplätze in Strandnähe; ab Bol etwa 20 Minuten Fußweg, immer am Meer entlang oder mit der Touristen-Bimmelbahn (30-Minuten-Takt).

2 Sveti Ivan und Blaue Grotte (bei Lubenice, Insel Cres)

Dramatisch thront das Dörfchen Lubenice im Westen der Insel Cres auf einem Felsplateau. Ein steiniger Pfad schlängelt sich steil zur traumhaften Badebucht Sveti Ivan (hl. Ivan) hinab. Für anspruchsvolle 45 Minuten Fußmarsch (bergauf dauert es mindestens doppelt so lange!) werden Badefreunde mit feinstem Kieselstrand unter schroffen Felswänden belohnt. Der verschlungene Fußweg zweigt unterwegs zur Plava grota (Blaue Grotte) ab, in die man hinein schwimmen kann.

Anreise: Kostenpflichtiger Parkplatz vor Lubenice, von dort aus zu Fuß weiter (gutes Schuhwerk erforderlich, Getränke nicht vergessen); komfortabler sind Ausflugsboote ab Cres-Stadt direkt zur Blauen Grotte.

3 Vela plaža (Baška, Insel Krk)

Den Meeresrand in Baška, im Süden der Insel Krk, säumt die populäre Vela plaža („Großer Strand") über eine Länge von fast zwei Kilometern. Am Strand massieren Kieselsteine die Fußsohlen, je weiter man ins flache Wasser hineinläuft, umso sandiger wird der Meeresboden. Der Ausblick fällt rechterhand auf eine von der Bora zerklüftete Mondlandschaft. Gute Wasserqualität bescheinigt die Blaue Flagge. Vor allem Familien schätzen das seichte Wasser und den fröhlichen Trubel.

Anreise: Der einzigen Hauptstraße in Richtung Zentrum folgen, kostenpflichtige Parkplätze direkt hinter dem Strand (möglichst früh kommen!).

4 Rajska plaža (Lopar, Insel Rab)

Sein Name bedeutet übersetzt „Paradiesstrand" – dies dürfte der fast zwei Kilometer lange Sandstrand bei Lopar auf der Insel Rab vor allem für den Nachwuchs sein, da sich hier ideal Sandburgen bauen lassen. Der Strand fällt sehr flach ins Meer hinab – erst nach gut 100 Metern weicht der Boden zunehmend dem Wasser. Im Rücken des Strandes spenden Pinienhaine Schatten. Wer Banana-Boot, Volleyball und sonstige Action mag, fühlt sich hier sehr wohl.

Anreise: Immer den Schildern zum Campingplatz „San Marino" folgen, kostenpflichtige Parkplätze.

5 Pakleni otoci (vor der Insel Hvar)

Versprenkelt breiten sich die 20 winzigen Pakleni otoci (von „paklina" – Kiefernharz, mit dem man Boote abdichtete) im azurblauen Meer vor Hvar aus: Im Taxiboot bleibt die mondäne Jachtenpromenade von Hvar-Stadt zurück, wenige Zeit später öffnet sich ein grünes Inselparadies mit ungezählten versteckten Buchten: Kristallklares Wasser lädt vielerorts zum Schnorcheln ein. Schön schattig: Der Kies- und Felsstrand Palmižana auf Sveti Kliment. Wer es lebhafter mag, setzt auf die Insel Sveti Jerolim über, wo man sich am Carpediem-Beach zum Sonnenuntergangs-Cocktail trifft.

Anreise: Taxiboote ab Hvar-Stadt (Promenade) oder eigenes Boot, etwa 15 Minuten Fahrt.

6 Insel Lokrum (vor Dubrovnik)

Ein schöner Ausblick auf die trutzigen Wehrmauern von Dubrovnik öffnet sich von der Badeinsel Lokrum aus, die sich nach gut fünf Minuten Bootsfahrt vor dem lebhaften Altstadtkern ausbreitet. Hier ist das Meer immer warm und sauber, sagen zumindest die Dubrovniker. Wer sich die Beine vertreten möchte, spaziert auf schattigen Steinpfaden an Kakteen und Game of Thrones-Drehorten zu einer verwunschenen Festung auf den höchsten Punkt der Insel. Kinder planschen gerne im Inselsee Mrtvo more ("Totes Meer").

Anreise: Fährüberfahrt inkl. Eintritt: 150 Kuna/Pers., ab dem alten Stadthafen von Dubrovnik (www.lokrum.hr).

7 Lagune von Nin (Nin)

Seicht und warm ist das Wasser, das den weitläufigen Sandstrand in der Lagune von Nin umspült – ein idealer Ort für Kleinkinder, die gerne Sandkuchen backen. Fast drei Kilometer lang zieht sich die Kraljičina plaža ("Königinnenstrand"). Benannt wurde sie nach der Gattin des ersten kroatischen Königs Tomislav, die dort gern gebadet haben soll. Dem Heilschlamm in der Nähe wird eine positive Wirkung auf den gesamten Organismus nachgesagt.

Anreise: Nordwestlich von Nin.

8 Bucht Bok (Insel Susak)

Sanddünen vermutet man eher in der Wüste. Warum die fast ein wenig vergessene Insel Susak, westlich der Insel Lošinj, von einer riesigen Sanddüne bedeckt ist, können Wissenschaftler nicht erklären. Auf dem sandigen Boden gedeihen nicht nur knorrige Weinreben, sondern auch Bambus. Der sehr seichte Hauptstrand Spiaza schließt sich gleich an das Dorf Susak an. Weniger bevölkert ist die steinige Bucht Bok, die östlich folgt – hier treffen sich FKK-Fans.

Anreise: Empfehlenswert sind Ausflugsboote ab Mali Lošinj. Linienschiffe ab Rijeka (3 Std.) und Mali Lošinj (1 Std. 20 Min.) verkehren nur ein- bis zweimal pro Tag (www.jadrolinija.hr; www.krilo.hr).

9 Kap Kamenjak (Istrien)

Wildromantisch läuft die Südspitze Istriens im Meer aus: Im Naturschutzgebiet Kap Kamenjak finden vor allem Naturliebhaber ihren Platz an der Sonne, seltener an ruhigen Sand- oder Kiesstränden, überwiegend auf massiven Felsplatten, die das Meer vom Festland abhalten. Taucher schätzen die Unterwasserwelt, Surfer die Windverhältnisse an Istriens südlichstem Punkt.

Anreise: Bei der Einfahrt mit dem Auto wird eine Öko-Taxe fällig (80 Kuna/Pkw), einige Buchten können nicht direkt angefahren werden.

10 Punta rata (Makarska rivijera)

Das Panorama der 60 Kilometer langen Makarska rivijera (Riviera von Makarska) entzückt: Schroff fällt das Biokovo-Gebirge ab, um in weiße Kiesstrände zu münden, die im Meer sandiger werden. Dichte Pinien- und Kiefernwälder spenden Badegästen reichlich Schatten. Der Strand "Punta rata" bei Brela wird von vielen als schönster Strand Kroatiens bezeichnet, ein vorgelagerter baumbestandener Felsen im Wasser ist sein Wahrzeichen. Der Strand ist auch bei Familien beliebt. Eine romantisch beleuchtete Promenade lädt am Abend zum Spaziergang ein.

Anreise: Von Norden über die Autobahn A1 oder mit dem Linienbus ab Split.

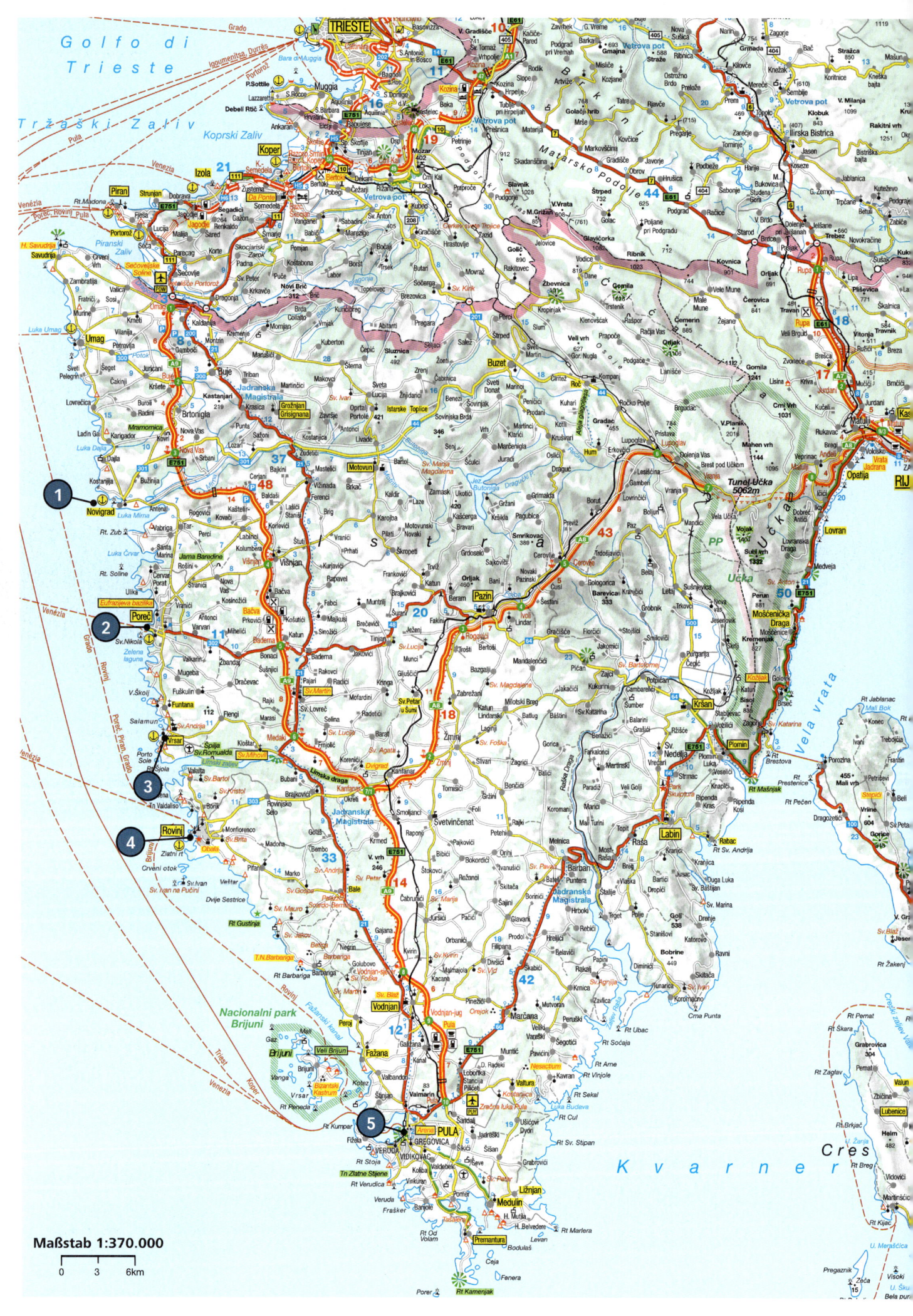

Badeperlen an der Küste

An Istriens Küsten gibt es mancherlei zu entdecken, sei es römische oder venezianische Architektur in engen Gassen, Wellness auf vorgelagerten Inseln, Mountainbiking im Naturschutzgebiet Kap Kamenjak oder die immer raffinierteren Feinschmeckerrestaurants.

❶ Novigrad

Die kleine, feine Altstadt ist eine Symbiose verschiedener Stilrichtungen: Venezianische Architektur, Barock und Renaissance verschmelzen mit Novigrad, der „Neuen Stadt", die sich mit ihren 4500 Einw. nahe der Mündung der Mirna in die Adria ausbreitet.

SEHENSWERT

An der **Velika ulica** erhebt sich das barocke **Rigo-Palais** (Palača Rigo) mit Kunstgalerie; die Hauptstraße durch die Altstadt endet am Hauptplatz **Veliki trg** mit viereckigem Stadtturm und **Pfarrkirche Sv. Pelagij i Maksim**

Ganz oben und oben Mitte: Novigrad mit Blick auf die vom viereckigen Campanile der Pfarrkirche überragte Altstadt und eine Einstiegsstelle zum Baden. Oben links/rechts: im Hafen von Poreč.

Tipp

Wie ein Fjord

Als Istriens schönstes Naturphänomen gilt der türkisfarbene **Lim-Kanal** (Limski kanal), der sich auf 10 km Länge in das Landesinnere schneidet, begleitet von dramatisch abfallenden sattgrünen Hängen und einer schmalen Straße. Von den Ausflugsbooten aus, die in vielen Ferienorten starten, hat man ein wundervolles Panorama. Freeclimber haben gut 60 Aufstiegsmöglichkeiten an den Felswänden für sich entdeckt. In der malerischen Bucht werden Austern und Muscheln gezüchtet, die in den Restaurants Viking (am Ende der Bucht, Tel. 052/44 81 19) und Lim Fjord (Tel. 052/44 82 22) auf den Tisch kommen. Bis zur Aussichtsplattform nördlich der Bucht, ist es nicht mehr weit.

(hll. Pelagius und Maximus) aus dem 15./16. Jh. Die frühromanische Krypta unter dem Chor birgt u. a. einen Sarkophag aus dem 12. Jh. Der **Campanile** wurde 1883 vollendet, auf der Turmspitze wacht Stadtpatron Pelagius. Die Uferpromenade **Rivarella** erstreckt sich bis zur Marina.

MUSEUM

Das moderne **Lapidarium** (Lapidarij) neben der Basilika hütet gut 100 altkroatische Schrifttafeln, Wappen und Türbalken aus Stein (Juli/Aug. Mo.–Sa. 10.00–13.00, 19.00–22.00 Uhr, sonst kürzer; www.muzej-lapidarium.hr).

HOTELS

Das Interieur des eleganten € € € € **Hotel Nautica** ist einem alten Segelschiff nachempfunden; die große Marina gehört dazu (Sv. Antona 15, 52466 Novigrad, Tel. 052/60 04 00, www.nauticahotels.com). Flaggschiff eines neuen Elitetourismus ist das € € € € **Kempinski Hotel Adriatic Istria** mit Wellness und 18-Loch-Golfplatz (Alberi 300 a, 52475 Savudrija, Tel. 052/70 70 00, www.kempinski-adriatic.com).

UMGEBUNG

Die „venezianische" Altstadt von **Umag,** 16 km nördlich von Novigrad, lädt zum Verweilen ein. Im großen Jachthafen kommt Fernweh auf! Umag ist ein Tennis-Mekka: Alljährlich im Juli pilgert die internationale Sportelite zum **ATP-Tennisturnier Croatia Open.** Die westlichste

Landzunge Kroatiens, das **Kap Savudrija,** 23 km nördlich von Novigrad, dominiert ein 36 m hoher **Leuchtturm.** Eine Tafel erinnert daran, dass das Bauwerk bereits 1818 unter Kaiser Franz I. von Österreich errichtet wurde.

INFORMATION

Turistička zajednica grada (TZG) Novigrad, Mandrač 29 a, 52466 Novigrad, Tel. 052/75 70 75, www.coloursofistria.com

❷ Poreč

Poreč ist mit mehr als 100 000 Betten entlang seiner 20 km langen Riviera einer der bekanntesten Ferienorte Kroatiens. Die aus weißem Stein geformte Altstadt samt Euphrasius-Basilika gehört seit 1997 zum UNESCO-Weltkulturerbe. Poreč war bereits in der Jungsteinzeit besiedelt und erhielt unter Julius Caesar den Status eines Municipiums.

SEHENSWERT

Als der byzantinische Einfluss im 6. Jh. auch in Poreč spürbar wurde, schufen alte Meister ein grandioses Bauwerk: die **Euphrasius-Basilika** (Juli/Aug. tgl. 9.00–21.00 Uhr, sonst kürzer). Seit zwei Jahrtausenden zeugt das römische Straßensystem mit **Cardo Maximus** und **Decumanus** von den früheren Herrschern, an die auch der

Große Tempel am Forumsplatz **Trg Marafor** erinnert, wo Cafés zum Ausruhen einladen.

AKTIVITÄT
Gebadet wird auf **Sveti Nikola**; die Überfahrt mit dem Taxiboot dauert nur wenige Minuten.

VERANSTALTUNGEN
Beliebt sind die **Jazzabende** im Lapidarium (jeden Mi. im Juli/Aug.). Wer lieber klassische Musik mag, sollte sich den Freitag für **Konzertabende** in der Basilika freihalten (Juli/Aug.; beide www.poup.hr).

RESTAURANT
In einer kleinen Gasse unweit der Euphrasius-Basilika versteckt sich die familiengeführte **€ € € Konoba Aba**, in der Fisch, Fleisch und Pasta auf den Tisch kommen (M. Vlačića 2, Tel. 052/43 86 69, Reservierung empfohlen).

UMGEBUNG
In der **Tropfsteinhöhle Baredine**, 7 km nordöstl., wandeln Besucher durch 5 Säle zu einem kleinen See. Hier ist der Grottenolm zu Hause, ein pigmentloser blinder Lurch (Juli, Aug. 10.00 bis 18.00, April, Okt. 10.00–16.00, Mai, Juni, Sept. bis 17.00 Uhr; www.baredine.com).

INFORMATION
Turistička zajednica (TZ) Istarske županije, Pionirska 1, 52440 Poreč, Tel. 0 52 / 45 27 97, www.istra.hr; TZG Poreča, Zagrebačka 9, 52440 Poreč, Tel. 0 52 / 45 12 93, www.myporec.com

❸ Vrsar

Die steilen Gassen von Vrsar (3000 Einw.) beeindruckten schon den Frauenhelden Giacomo Casanova, der seine beiden Aufenthalte in dem Städtchen in seinen Memoiren festhielt.

SEHENSWERT
Zwei Wehrtürme und Fragmente erinnern an eine **mittelalterliche Stadtbefestigung**. Der Campanile wurde erst 62 Jahre nach der **Pfarr-**

Tipp

Feinschmecker

Wo kommt pikantes hausgemachtes Fisch-Brodet auf den Tisch? Und wer serviert echten istrischen Rohschinken? Der Tourismusverband Istriens gibt eine Broschüre für Gourmets heraus: **Istra Gourmet**. Darin sind die besten Restaurants sowie Olivenöl- und Weinerzeuger der Halbinsel aufgelistet. Die Feinschmecker-Tipps gibt es auch online abrufbar.

INFORMATION
www.istria-gourmet.com

Abstrakte Formen (hier aus Marmor und 2,35 m hoch) greifen Raum im Skulpturenpark des kroatischen Bildhauers Dušan Džamonja (1928–2009) in Vrsar.

kiche Sv. Martin (1804–1935) fertig. Das **Kastell** nebenan war einst Bischofsresidenz.

UMGEBUNG
Einer der bekanntesten Bildhauer Kroatiens, Dušan Džamonija, hat sein Lebenswerk in einem **Skulpturenpark** hinterlassen (Richtg. Funtana; Juni–Aug. tgl. 9.00–20.00, sonst bis 17.00/19.00 Uhr). Beim beliebten Badeort **Funtana**, 3 km nördl. von Vrsar, entdeckt man Reste eines römischen Aquädukts aus dem 2. Jh. und einen Dino-Freizeitpark (www.dinopark.hr).

INFORMATION
Turistička zajednica općine (TZO) Vrsar, Obala m. Tita 23, 52450 Vrsar, Tel. 0 52 / 44 17 46, www.infovrsar.com

❹ Rovinj

Romantischer geht es kaum: Das venezianisch geprägte ehemalige Fischerstädtchen, dessen rotes Dächergewirr sich um einen Hügel windet, steht auf einer aufgeschütteten Insel. **Rovinj TOPZIEL** (14 000 Einw.) gilt vielen als einer der schönsten Orte der Halbinsel.

SEHENSWERT
Von der Hafenpromenade aus hat man einen schönen Blick auf die Altstadt. Euphemia, die Schutzheilige der Stadt, thront auf dem fast 60 m hohen **Campanile** der ihr geweihten dreischiffigen Barockkirche **Sv. Eufemija**. Die Kupferstatue weist Seefahrern die Windrichtung, vom Turm aus öffnet sich ein schöner Ausblick (Sommer 10.00–18.00 Uhr, sonst kürzer). Von einst sieben **Stadttoren** sind noch drei erhalten. In der schmucken Altstadt kann man in der **Künstlergasse Grisia** in kleinen Galerien stöbern, Zugang gewährt der **Balbi-Bogen** (spätes 17. Jh.) östlich der Gasse.

MUSEEN
Das **Eco-Museum Kuća o Batani** ist dem traditionellen Fischerboot aus Rovinj gewidmet (Obala Pina Budicina 2; Mai, Sept. Di.–So. 10.00–13.00, 18.00–21.00, März, April, Okt., Nov. Di.–So. 10.00 bis 16.00 Uhr; www.batana.org).

VERANSTALTUNG
Jährlich am 2. So. im Aug. verwandelt sich die Grisia-Gasse in der Altstadt von Rovinj in ein

Freiluft-Atelier. Dann stellen bis zu 200 Akademische Maler, Hobby-Künstler, Studenten und Kinder ihre Werke aus – schon seit über 50 Jahren! Wer sich frühmorgens (7.00–9.00 Uhr) im Heimatmuseum anmeldet, darf auch bis zu fünf Werke unter freiem Himmel zeigen (E-Mail: muzej-rovinj@pu.t-com.hr).

HOTEL
Das **€ € € Hotel Istra** auf der vorgelagerten Insel Sv. Andrija verwöhnt die Gäste mit seinem Wellness-Angebot (10 Min. Bootsfahrt von Rovinj; Tel. 0 52 / 80 02 50, www.maistra.com).

RESTAURANT
Im gedämpften Licht des **€ € € Monte** schmecken seltene Gerichte wie geräucherte Scampi, Garnelentartar oder Truthahnröllchen noch köstlicher (Montalbano 75, Tel. 0 52 / 83 02 03, www.monte.hr).

UMGEBUNG
Der wunderschöne **Parkwald Zlatni rt** (Goldenes Kap) ist ein naturbelassenes, schattiges Badeparadies (1,5 km südlich von Rovinj).

INFORMATION
TZG, Obala Pina Budicina 12, 52210 Rovinj Tel. 0 52 / 81 15 66, www.rovinj-tourism.com

❺ Pula

Hier pocht das urbane Herz Istriens. Trotz Hochhäusern am Stadtrand und einer Werft im ehemaligen Olivenhain konnte sich die bereits im Neolithikum besiedelte Stadt (60 000 Einw.) den antiken Charme weitgehend bewahren. Auf der Halbinsel Verudela, südlich der Stadt, erstrecken sich Campingplätze und Hotelanlagen in schattigen Pinienwäldern.

SEHENSWERT
Das römische Amphitheater, die **Arena,** ist das bauliche Highlight der Stadt. In den unterirdischen Gängen wird eine Ausstellung zu antikem Oliven- und Weinanbau gezeigt (Sommer 8.00–21.00/23.00, sonst 9.00–17.00 Uhr). Rund um das romanische **Forum,** den Hauptplatz in der Altstadt westlich der Arena, finden sich belebte Cafés. Der **Augustus-Tempel** (2 v. Chr. bis 14 n. Chr.) hier war nach Annahme des Christentums zunächst Kirche, später zeitwei-

lig Getreidespeicher (Sommer: Mo.–Fr. 9.00 bis 21.00, Sa./So. 10.00–15.00 Uhr). In das mehrfach restaurierte **Rathaus** (13. Jh.) daneben wurde die Rückwand des Diana-Tempels integriert. Über die Flaniermeile **Ulica Sergijevaca** verlässt man die Altstadt durch einen 8 m hohen **Triumphbogen** zu Ehren tapferer Kämpfer des Sergier-Geschlechts. Im östlichen Teil der Altstadt werden Tomaten & Co. in einer **Jugendstil-Markthalle** (Tržnica) von 1903 feilgeboten (Narodni trg 9, www.trznica-pula.hr). Im westlichen Stadtteil Stoja erinnert der **Marinegedenkfriedhof** (Mornaričko spomen groblje) an zwischen 1862 und 1945 beigesetzte K.-u.-k.-Soldaten und -Seeleute.

MUSEEN
Das **Historische und Seefahrts-Museum** (Povijesni i pomorski muzej Istre) ist in eine venezianische Festung auf einer kleinen Anhöhe eingebettet (Gradinski uspon 6, http://ppmi. fwd.hr; Sommer 8.00–21.00, Winter 9.00–17.00 Uhr). Unweit vom Zwillingstor Porta Gemina (1. Jh.) gelangt man zum **Archäologischen Museum Istriens** (Arheološki muzej Istre) mit den Ruinen eines kleinen römischen Theaters (Carrarina ulica 3; www.ami-pula.hr; z.Zt. wegen Umbau geschlossen). Nebenan geht es in unterirdische **Gewölbe aus der K.-u.-k.-Zeit** („Zerostraße", Juni–Sept. tgl. 10.00–24.00 Uhr).

AKTIVITÄT
Von April bis Sept. verkehren **Doppeldeckerbusse** entlang der wichtigsten Sehenswürdigkeiten (www.pulacitytour.com/de).

VERANSTALTUNG
Gladiatoren kämpfen bei der **Spectacvla Antiqva** in der Arena gegeneinander (Juni–Sept., Tickets in der Arena). In- und ausländische Spielfilme werden beim **Filmfestival** in der Arena und im Kastell gezeigt (Juli; www.pula filmfestival.hr).

RESTAURANTS/HOTELS
Seit 1967 wird das € € € **Milan** als Traditionslokal für frische Meeresfrüchte geschätzt. 12 schlichte, aber moderne Zimmer (Stoja 4, Tel. 052 / 30 02 00, www.milan1967.hr).
Serviert wird im minimalistisch eingerichteten € € € **Farabuto** nur, was lokale Fischer und Gemüse-Erzeuger gerade anbieten (Sisplac 15, Tel. 052 / 38 60 74, www.farabuto.hr).

UMGEBUNG
Das einstige Fischerdorf **Medulin** mit seinem venezianischen Ortskern, 7 km süd. von Pula, hat sich zum beliebten Badeziel für Familien entwickelt. Die Riviera von Medulin zieht sich entlang von Badeorten wie **Banjole** oder **Pomer**. Das **Naturschutzgebiet Kap Kamenjak** an der Südspitze Istriens lockt Mountainbiker und Wanderer. In **Fažana**, 7 km nördlich von Pula, legt die Fähre zum Brijuni-Archipel ab, das seit 1983 als Nationalpark ausgewiesen ist.

INFORMATION
TZG, Forum 3, 52100 Pula,
Tel. 052/21 91 97, www.pulainfo.hr

Genießen   Erleben   Erfahren

DuMont
Aktiv

Tito oder James Bond?

Ein blühendes Inselparadies mit Villen, Zebras und Golfplatz, streng abgeschottet von der Außenwelt: Auf den Brijuni-Inseln pflegte der einstige jugoslawische Staatschef Josip Broz, genannt Tito, seine Idee von der Blockfreiheit. Heute begegnet man hier im Safaripark einigen Geschenken seiner ausgewählten Gäste – oder deren Nachkommen.

Die bunten Häuser am Hafen von Fažana bleiben zurück. Wenig später ankert das voll besetzte Ausflugsschiff auf Veli Brijun. Die größte unter den vierzehn im Brijuni-Archipel versprengten Inseln empfängt Tagestouristen mit kleinen Elektrozügen. Die Zeitreise beginnt im Tito-Museum, davor wartet Titos alter Cadillac auf neureiche Mieter. Schwarz-Weiß-Fotos ersetzen die Gästeliste: Sophia Loren und auch Fidel Castro waren schon auf dieser Insel. Einige hinterließen bleibende Staatsgeschenke, so wie Indira Gandhi: Sie schenkte Tito die beiden Elefanten Sony und Lanka. Letztere kaut hier heute noch Heu. Der kleine Elektrozug bringt die Gäste vom Museum ans nördliche Ende der Insel, zum Safaripark. Es geht vorbei am saftig grünen Golfplatz bis zum Stopp, wo neben Elefantendame Lanka auch Bergzebras, Lamas und Antilopen weiden. An heißen Tagen spenden weitläufige Eichenwälder Schatten, der Besucher begegnet Kaktusfeigen, Zedern, Mammutbäumen und einem Olivenbaum, dessen Alter auf 1600 Jahre geschätzt wird. Ganz nah kommt man an die frei lebenden Rehe und Hirsche heran, die den Besucher neugierig beäugen.

In den Zwischenkriegsjahren gehörten die Inseln unter dem Namen „Brioni" zu Italien. Die danach benannte Marke für feine Herrenanzüge trug Ex-Bundeskanzler Gerhard Schröder genauso gern wie James Bond.

Weitere Informationen

Nationalparkverwaltung: Nacionalni park Brijuni, Brionska 10, 52212 Fažana, Tel. 052 / 52 58 88, www.np-brijuni.hr

Unterkunft: Hotel Istra, Depandansa Neptun, Sobe Karmen, Vila Lovorka (alle auf Veli Brijun)

Schiffsverkehr: Ab Fažana 6.45–21.45, ab Brijuni 7.15–23.00 Uhr, Fahrtdauer 15 Min.

Städtchen hoch auf Bergspitzen

Das grüne Istrien beginnt dort, wo der Trubel aufhört. Lässt man die belebten Küstenstädte hinter sich, öffnet sich bald eine grüne Hügellandschaft im Landesinneren. Auf den Spitzen der Erhebungen thronen verschlafene mittelalterliche Städtchen, von Wehrmauern umgürtet. An Kultur, Kreativität und kulinarischen Genüssen mangelt es der Region nicht.

Hoch oben hebt sich mancher Ort in Istrien mit seinen roten Dächern vom satten Grün der Hügellandschaft ab – so auch Buje.

Motovun, einst wichtiger Handelsort, ist bis heute eines der malerischsten Städtchen im Landesinneren von Istrien. In den Wäldern rundum gedeihen kostbare Trüffel.

Man muss schon die Gassen von Motovun hinaufschreiten, um die besondere Atmosphäre des Ortes erleben zu können.

Das Hinterland Istriens ist wie für Romantiker geschaffen! Die Gegend mit ihren trutzigen Kastellen und winzigen, von verblassten Fresken geschmückten Kirchen zieht viele kreative Künstler an. Die meisten Siedlungen im Herzen von Istrien erheben sich auf einer kleinen Anhöhe, die den Blick auf malerische Talsenken freigibt. Von hier oben wirkt die Mirna, Istriens längster Fluss, als wäre sie auf ihrem Weg durch die Talsohle mit dem Pinsel gemalt worden. Nicht minder betörend ist der Blick von der Ebene hinauf auf die winzigen Bergstädtchen – vor allem, wenn sich ihr Glockenturm als dunkle Silhouette in der Abendsonne abzeichnet. Was nicht überall der Fall ist, denn viele Ortschaften hatten zwar das Geld für eine Kirche – für einen Glockenturm reichte es dann aber nicht mehr. Also behalf man sich, indem man die Glocken an einer speziellen steinernen Befestigung an der Vorderseite des Gotteshauses aufhängte. Wo doch ein Campanile gebaut werden konnte, sieht man häufig die charakteristische, spitz zulaufende, pyramidenartige Dachform, die einer schlanken Lanze ähnelt.

Kunst gegen Abwanderung

So malerisch Bergstädtchen wie Motovun heute auch wirken – noch vor wenigen Jahren verirrten sich kaum Touristen hierher. Die Bevölkerung war nach dem Zweiten Weltkrieg, als Istrien an Titos Jugoslawien fiel, zum Teil abgewandert. Das westliche Ausland, Industriestädte anderswo im Land und die Badeorte am Meer lockten mit Lohn und Brot. Viele Anwesen im Landesinneren standen leer und waren dem Verfall preisgegeben.

So weit wollte man es in Grožnjan nicht kommen lassen, wo nur noch zwanzig Bewohner übriggeblieben waren. Daher beschloss die jugoslawische Regierung in den 1960er-Jahren, die Häuser zu einem symbolischen Preis an Künstler zu verkaufen, die ihr frisch erworbenes Eigentum sanierten und sich dort niederließen. Das Konzept zeigt Erfolge: Seit

Kopfsteinpflaster durchzieht die Gassen des erstmals im Jahr 1102 als Besitztum der Patriarchen von Aquileia erwähnten Künstlerdorfs Grožnjan.

Fresken mit Darstellungen aus dem Leben Jesu und der Muttergottes schmücken die Wände der Wallfahrtskirche Maria im Fels (oder: Heilige Maria auf den Steintafeln, Sveta Marija na škriljinah) in Beram. Den oberen Raumabschluss bildet eine aufwendig verzierte Kassettendecke.

Die Glagolitische Allee (Aleja Glagoljaša) ist ein Denkmal für die Glagoliza, die älteste slawische Schrift. An der Straße zwischen Roč und Hum entstanden ab 1977 zehn Skulpturen, die an ihre Entwicklungsgeschichte erinnern.

Händler, Adlige und Könige tanzen miteinander auf den Fresken der Wallfahrtskirche in Beram – ein deutlicher Hinweis, dass in der Todesstunde alle Menschen gleich sind.

Das Stadttor in Roč zeugt noch von der befestigten Anlage, die den bereits in frühgeschichtlicher Zeit besiedelten Ort einstmals umschloss.

dem Jahr 1965 gilt Grožnjan offiziell als „Künstlerstadt". Knapp 200 Bewohner leben heute ständig hier, auf jeden Vierten entfällt rein rechnerisch eine Galerie oder ein Ausstellungsraum. Sogar die Straßenschilder sind künstlerisch gestaltet und aus handbemalter Keramik.

Altes Bauernland, ganz neu

In den letzten Jahren setzte eine Trendwende im Landesinneren ein: Viele Bewohner kehren zurück, sanieren traditionelle Steinhäuser, pflanzen Mangold oder Erdbeeren an und vermieten Zimmer an Urlauber. Natürlich unter dem Ökolabel, am Puls der Zeit. Vor allem im Landesinneren Istriens hat sich in den vergangenen Jahren das Konzept des *Agroturizam*, wie der sanfte Tourismus in Kroatien genannt wird, durchgesetzt: Gäste übernachten beim Direktvermarkter meist in alten Natursteinhäusern und werden mit Olivenöl, Wein oder Rohschinken verköstigt. Gerne dürfen sie bei der Weinlese Trauben ernten und sich im Folgejahr „ihre" Flasche Rebensaft abholen. Kinder haben Spaß daran, Schweine, Katzen und Hunde auf dem Hof zu streicheln. Zum Frühstück stehen Biowiesenhonig und hausgemachter Käse auf dem Tisch.

Einfach zu erfüllen ist der Agroturizam aber nicht: So muss mindestens die Hälfte des Angebots auf der Speisekarte

aus eigenem Anbau stammen. Meist stehen nur begrenzte Kapazitäten für Individualgäste zur Verfügung. Der Massentourismus bleibt außen vor. Schilder mit Aufschriften wie *agroturizam, seljački turizam, stancija* oder *seoski turizam* weisen den Weg.

Villa mit Pool oder Biohof?

Die Landschaft wellt sich sanft und wird häufig nur von knorrigen Olivenbäumen, schwer tragenden Weinstöcken und alten Trockenmauern unterbrochen. Die Preise für Villen im Landhausstil sind noch erschwinglich. Viele Gäste stammen aus dem Ausland. So sind in den ländlichen

Das ländliche Istrien wird oft mit einer unberührten Toskana verglichen.

Villen mit Pool vor allem britische Touristen anzutreffen, während Gäste aus Deutschland die Biohöfe bevorzugen.

Einer völlig anderen – allerdings weniger zum Übernachten geeigneten – Art von Gebäuden begegnet man in ganz Istrien: den *Kažuni* – alten Häuschen mit

markantem Kuppeldach aus aufeinandergeschichteten Steinen, die Hirten bei Unwettern Zuflucht boten. En miniature werden sie heutzutage an vielen Souvenirständen angeboten.

Flaggschiffe des Weinbaus

Schon Casanova pries den rubinroten Teran, einen istrischen Karstwein, der mit seinem vollen, blumigen Aroma verblüfft. Er kommt mit markanter Säure und einer kräftigen Note daher. Auch die istrische Küche hat den edlen Tropfen längst entdeckt: So wird aus Teran unter Zugabe von geröstetem Brot, Zucker, Olivenöl und Pfeffer über dem offenen Feuer ein leckeres Süppchen zubereitet. Auf keiner regionaltypischen Weinkarte fehlt der weiße *Malvazija* (Malvasier), das Flaggschiff unter den istrischen Weißweinen. Er glänzt in strohgelbem Farbton und wird von einer Aprikosen-, Mandel- und Akaziennote geprägt.

„TRÜFFELKÖNIG" GIANCARLO ZIGANTE

Mit Brot und Käse – Training für die Edelknolle

Für manche ist es eine schrumpelige, modrig riechende Knolle, anderen wiederum scheint kein Preis zu hoch für den Edelpilz: Trüffel spalten die Geschmäcker. Bis zu 3000 Euro werden für ein Kilo weiße Trüffel fällig, die von September bis Dezember ihren Auftritt haben. Wir sprachen mit Giancarlo Zigante, dem Trüffelkönig Istriens, über die Edelknolle.

Giancarlo Zigante betreibt ein mehrfach ausgezeichnetes Restaurant in Livade, verschiedene Feinkostgeschäfte und exportiert in alle Welt. Den Beinamen „Trüffelkönig" brachte ihm im Herbst 1999 seine Hündin Diana ein: Damals fand sie die bislang größte Weiße Riesentrüffel der Welt – mit einem Gewicht von 1,3 Kilogramm.

Herr Zigante, wie haben Sie Ihre Leidenschaft für Trüffel entdeckt?
Das ist schon eine ganze Weile her. 1971 kaufte ich mir meinen ersten Hund und ging morgens vor der Arbeit oder am Nachmittag mit ihm zur Trüffelsuche in den Wald. Meine Eltern hatten zuvor nichts damit zu tun gehabt, es entstand also nicht aus einer Familientradition heraus.

Eignet sich jeder Hund zur Trüffelsuche?
Er muss gute Eigenschaften haben. Im Prinzip lassen sich alle Rassen trainieren. Ich hatte schon mehrere deutsche Vorstehhunde wie Diana, andere Trüffelsucher bevorzugen Setter oder Labradore. Meinen ersten Hund musste ich mit Brot und Käse anlernen, damit er überhaupt darauf kam, unter der Erde zu suchen.

Was ist eigentlich mit der weltgrößten Trüffel passiert, die Ihre Hündin Diana fand?
Italienische Anbieter boten mir damals umgerechnet 20 000 Mark dafür.

Ich wollte die Trüffel aber nicht verkaufen. Stattdessen veranstalteten wir ein großes Fest, luden Politiker aus der Region sowie Journalisten und Freunde ein und bereiteten die Riesentrüffel vor laufender Kamera zu.

Hängt der Geschmack auch mit der Größe der Knolle zusammen?
Das spielt nicht die ausschlaggebende Rolle. Vielmehr beeinflussen zahlreiche Faktoren wie Niederschlag, Temperatur oder Bodenbeschaffenheit den Reifungsprozess und den Geschmack von Trüffeln. Es gibt durchaus welche von der Größe eines Maiskorns, gerade mal acht Gramm schwer, die dennoch schon reif sind.

Das Geschäft mit dem Edelpilz läuft. Ihre Abnehmer sitzen in Italien, aber auch in Amerika. Gehen Sie selbst überhaupt noch auf Trüffelsuche?
Nur selten, das übernehmen die Zulieferer. Ich bin nun eher in den Verarbeitungsprozess involviert. Ab und zu nehme ich mir jedoch die Zeit, mit Freunden auf Trüffelsuche zu gehen.

Herr Zigante, wir bedanken uns für das Gespräch.

In seinem Restaurant probiert Giancarlo Zigante immer wieder neue Varianten bei der Zubereitung der Weißen Trüffel aus.

Seiner findigen Trüffelhündin Diana verdankt Giancarlo Zigante einen Eintrag in das Guinnessbuch der Rekorde.

Weitere Informationen

Giancarlo Zigante betreibt Feinkostgeschäfte in Buje, Grožnjan, Livade, Buzet, Motovun und Koper (Slowenien), in denen er neben Trüffelspezialitäten auch seinen eigenen Wein und (Bio-)Olivenöl anbietet. Zudem gehört ihm das Gourmet-Restaurant Zigante (mit Pension): Livade 7, 52427 Livade, Tel. 052 / 66 43 02, www.restaurantzigante.com

Von Mitte Sept.-Mitte Nov. finden jedes Wochenende die Trüffeltage in Livade statt, mit Koch-Show, Gerichten und Auktionen. An diesen Wochenenden fahren Touristen-Bimmelzüge zur Trüffeljagd-Demo in den Wald. Beim Kochkurs stehen die istrische Nationalnudel Fuži, aber auch Eis mit Trüffeln auf der Agenda (März–Sept., 2–3 Std., 75 €/Pers.).
Anmeldung unter Tel. 052 / 66 43 02, info@livadetartufi.com, www.livadetartufi.com

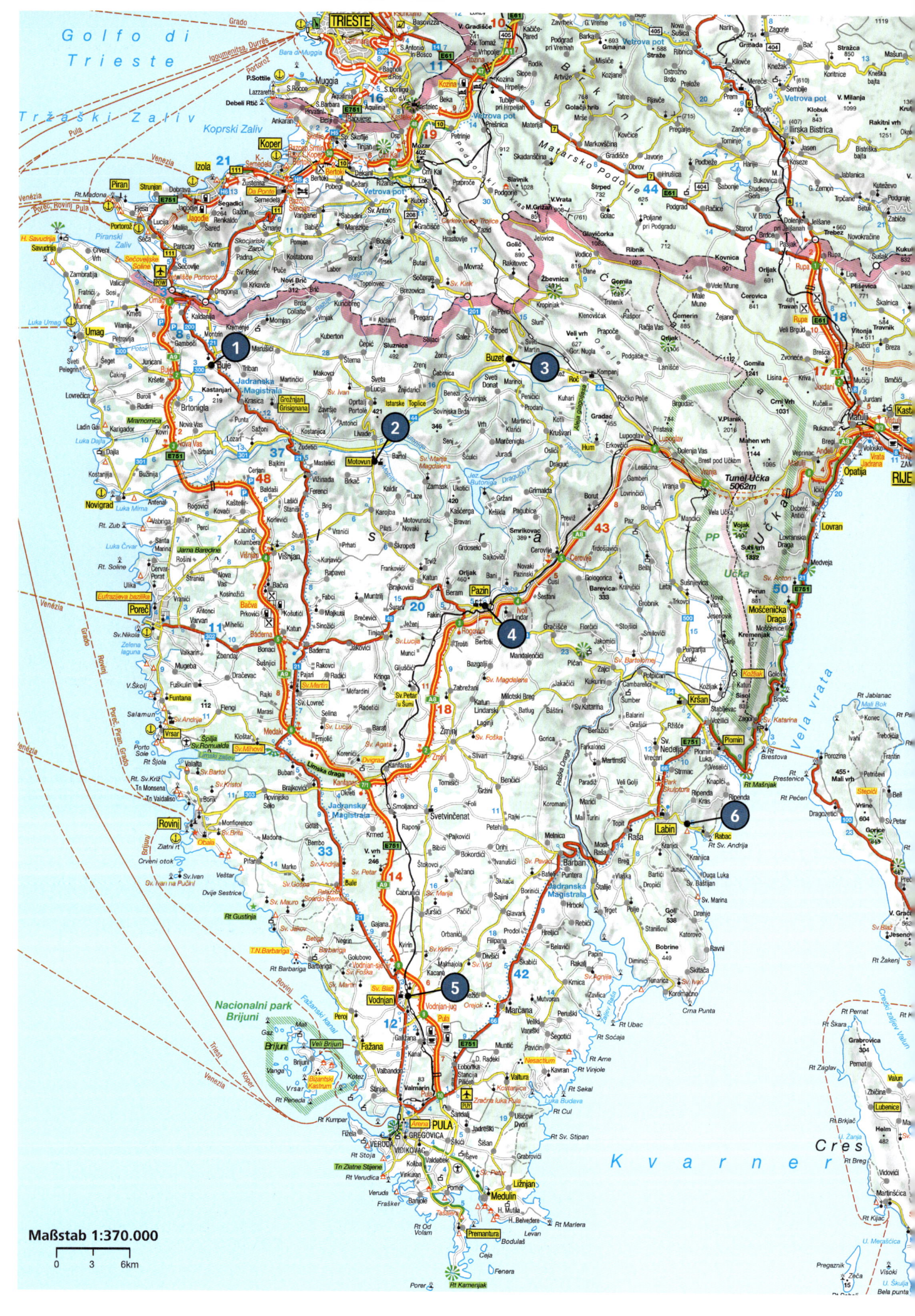

Auf sanften Hügeln

Manche Gäste kommen, um Biobauern bei der Weinlese zu helfen, andere, um in der Abgeschiedenheit romantischer Bergdörfer am Swimmingpool zu relaxen. Und wieder andere pilgern ins Landesinnere, um Trüffel in allen Varianten zu genießen.

❶ Buje

Die Altstadt von Buje (5400 Einw.) ruht auf einem 222 m hohen Hügel und wird wegen ihrer strategischen Lage auch die „Wacht Istriens" genannt. Eine beliebte Gegend für Wander- und Mountainbiketouren.

SEHENSWERT
Den Hauptplatz schmücken **venezianische Paläste**, die an die Blütezeit des Städtchens erinnern. Die barocke **Pfarrkirche Sv. Servul** (hl. Servolus) aus dem 15. Jh. entstand auf dem Fundament eines römischen Tempels, an den noch das Portal und einige Säulenfragmente erinnern. 50 m misst ihr **Glockenturm**.

ERLEBEN
Momjan ist ein Zielpunkt von **Weinstraße** und **Olivenölroute**, die zu Probierräumen der Erzeuger und Ölmühlen führen (www.istria-gourmet.com).

VERANSTALTUNGEN
Im April wetteifern Köche bei der **Šparogada** um die beste Zubereitung von wild wachsendem grünem Spargel. Im Mai wird bei der **Oleum Olivarum** das beste Olivenöl gekürt.

HOTEL
Das familiäre € € € **Hotel San Rocco** in einem istrischen Steinhaus bietet exzellente regional-

> **Tipp**
>
> ## Auf alter Trasse
> ....
>
> Die Parenzana-Schmalspurbahn verband 33 Jahre das italienische Triest mit Poreč (ital. *Parenzo*). 1935 ließ Mussolini die Schienen demontieren und ins eroberte ostafrikanische Abessinien verfrachten, wo sie jedoch nie ankamen, da das Schiff sank. Die alte Bahntrasse zwischen Triest und Poreč wurde zum Rad- und Wanderweg (123,1 km) umfunktioniert, mit Minimuseen in Buje und Livade sowie Bike-Hotels.
>
> ### INFORMATION
> www.istria-bike.com/de

Ein steinerner Mauerring umspannt Motovun, das hoch über dem Mirnatal liegt.

typische Küche (Srednja ulica 2, Brtonigla, Tel. 0 52 / 72 50 00, www.san-rocco.hr).

UMGEBUNG
Im stillen **Momjan**, 6 km nordöstlich, gibt es mittelalterliche Burgruinen zu entdecken. Das Künstlerdorf **Grožnjan**, 8 km südöstlich von Buje, inspiriert mit Renaissance-Loggia, Stadtmauer und Galerien auch Tenöre und Jazz-Ensembles beim „Musiksommer von Grožnjan". Zu römischen Zeiten hieß **Brtonigla**, rund 6 km weiter südwestlich gelegen, aufgrund seiner dunklen Böden Hortus Niger, „Schwarzer Garten". Die neobarocke Pfarrkirche (1862) ist dem Schutzheiligen der Stadt, Sv. Zenon (hl. Zenon), geweiht.

INFORMATION
TZG, Ul. 1. svibnja 2, 52460 Buje, Tel. 0 52 / 77 33 53, www.coloursofistria.com

❷ Motovun

Auf einem 277 m hohen Hügel liegt Motovun (600 Einw.). Filmfestival und Trüffelwald locken viele Besucher an.

SEHENSWERT
Gepflasterte enge Gassen führen zur begehbaren Stadtmauer, auf der es sich prima bummeln lässt: An Wehrtürmen und Torhäusern vorbei hat man einen schönen Ausblick auf das grüne Istrien. Am malerischen Hauptplatz Trg Andrea Antico erhebt sich die Pfarrkirche Sv. Stjepan (hl. Stephanus) mit mächtigem, gezacktem Glockenturm – der eigentlich mal ein Wehrturm war.

VERANSTALTUNGEN
Unkonventionelle Produktionen stehen Ende Juli beim **Filmfestival** von Motovun auf dem Programm (www.motovunfilmfestival.com).

HOTEL/RESTAURANT
Das € € **Hotel Kaštel** ist im ehemaligen Palazzo Polesini untergebracht, mit Restaurant und Kunstgalerie (Trg Andrea Antico 7, Tel. 0 52 / 68 16 07, www.hotel-kastel-motovun.hr).

UMGEBUNG
Im **Motovuner Eichenwald**, der sich durch das malerische Mirnatal zieht, sind die Trüffelhunde auch mal mit Urlaubern auf Trüffelsuche unterwegs (www.miro-tartufi.com).

INFORMATION
TZO, Trg Andrea Antico 1, 52424 Motovun, Tel. 0 52 / 68 17 26, www.tz-motovun.hr

❸ Buzet

Der Reichtum der „Trüffelstadt" liegt in den umliegenden Wäldern: Spezialhunde erschnüffeln die Delikatesse unter der Erdoberfläche. Buzet (1700 Einw.) erhebt sich auf einem 158 m hohen Kegelberg über dem Mirnatal. Ihr heutiges Aussehen erhielt die Stadt unter venezianischer Herrschaft im 15. Jh.

SEHENSWERT

Am zentralen Platz stehen sich **Rathaus** und alte **Bürgerhäuser** gegenüber. Sehenswert sind das **Große und Kleine Stadttor** (Vela Vrata, Mala Vrata; 16. Jh.) und eine barocke **Zisterne**. Die Pfarrkirche **Uznesenje Marijina** (Mariä Himmelfahrt; 14. Jh.) wurde im barocken Stil restauriert und birgt venezianische Gemälde.

MUSEUM

Töpferkunst und Volkstrachten zeigt das **Heimatmuseum** (Zavičajni muzej; Trg rašporskih kapetana 5; Juli/Aug. Mo.–Fr. 10.00–20.00, Sa./So. 10.00–13.00, sonst Mo.–Fr. 10.00–15.00 Uhr).

VERANSTALTUNG

Zum Auftakt der **Trüffeltage** im Sept./Okt. wird eine istrische Fritaja gebacken: Rund 2000 Eier und 10 kg Trüffel kommen ins Riesenomelett.

UMGEBUNG

Wahlzettel sind bei der jährlichen Wahl des Bürgermeisters in der kleinsten Stadt der Welt mit gerade mal um die 30 Einw. nicht nötig: In **Hum**, 17 km südöstl. von Buzet, machen die Stimmberechtigten eine kleine Kerbe in ein Stück Holz – Bürgermeister wird, wer „am meisten auf dem Kerbholz hat". Nach der Verkündigung feiert man jeweils ein Fest (2. Sa. im Juni). In der einzigen Gaststätte, der Konoba Hum (Tel. 0 52 / 66 00 05), kommt bester Mistelschnaps auf den Tisch. In die befestigte Altstadt von **Roč**, 8 km nordwestlich, führt ein mittelalterliches Stadttor. Die Kirche des Sv. Antun (hl. Anton) hütet eine der bekanntesten glagolitischen Inschriften, das Abecedarium von Roč. Die **Glagolitische Allee** zum Gedenken an die slawische Schrift ist 6 km lang. „Hollywood Istriens" nennt sich **Draguć**, 13 km südöstlich, weil hier ab den 1970er-Jahren zehn Spielfilme gedreht wurden. Im Haus der Fresken (Kuća fresaka) gibts Infos zu Wandmalereien in Istrien.

INFORMATION

TZG, Šetalište Vladimira Gortana 9, 52420 Buzet, Tel. 0 52 / 66 23 43, www.tz-buzet.hr

 Pazin

Im wildromantischen Pazin (5300 Einw.), geografische Mitte der Halbinsel, pocht das administrative Herz Istriens.

SEHENSWERT

Die befestigte Burg **Pazinski Kaštel**, 983 erstmals als Castrum Pisinum erwähnt, thront dramatisch über der **Pazinska jama**. Durch die Schlucht von Pazin fließt der Bach **Pazinčica**, der in einer Höhle verschwindet und unter-

Oben: Ölmühle Sovinjsko Polje bei Buzet. Rechts oben: Der Palazzo Battiala-Lazzarini in Labin beherbergt heute das dortige Volksmuseum. Darunter: im Kastell von Pazin.

irdisch weiterläuft. Bei stärkeren Regenfällen staut sich das Wasser in der Schlucht zum See.

MUSEEN

Im **Ethnografischen Museum (**Etnografski muzej; www.emi.hr) im Kaštel werden Musikinstrumente, Töpferwaren und Kleidung präsentiert, im **Stadtmuseum** (Muzej grada Pazina) eine Glockensammlung (www.muzej-pazin.hr; beide Museen Juli/Aug. tgl. 10.00–18.00 Uhr, sonst kürzer).

AKTIVITÄT

Bei Pazin wurden u. a. die beiden Routen Zarečki krov und Lido zum **Klettern** angelegt.

VERANSTALTUNG

Der **Samanj** gilt als größter traditioneller Markt Istriens (erster Di. im Monat).

UMGEBUNG

In der winzigen Friedhofskirche **Sv. Marija na Škriljinah** (hl. Maria im Fels) am Ortsrand von Beram, 5 km nordwestlich von Pazin, ist der Totentanz dargestellt. Der spätgotische **Freskenzyklus** TOPZIEL wurde von Meister Vincent aus Kaštav geschaffen. Die Klosterkirche Sv. Petar i Pavao (hl. Peter und Paul) im Dörfchen **Sv. Petar u Šumi**, 10 km südwestlich, ist für ihre vergoldeten Lederwandtapeten bekannt. **Gračišće**, 17 km südlich, gilt als einer der schönsten Orte Mittelistriens.

INFORMATION

TZG, Ulica Velog Jože 1, 52000 Pazin, Tel. 0 52 / 62 24 60, www.central-istria.com

 Vodnjan

Bunte Fassaden verleihen dem Hauptplatz von Vodnjan (3700 Einw.) ein frisches Gesicht. In

den mittelalterlichen Gassen des Ortes treffen venezianisch-gotische, barocke und Renaissance-Einflüsse aufeinander.

SEHENSWERT

Die neobarocke **Pfarrkirche Sv. Blaž** (hl. Blasius), deren Glockenturm mit 63 m als höchster in ganz Istrien gilt, birgt die mumifizierten Körper von drei Heiligen, die aus Venedig hierhergebracht wurden. Obwohl man sie weder einbalsamierte noch luftdicht verwahrte, blieben sie über die Jahrhunderte gut erhalten. Die Wissenschaft hat keine Erklärung dafür (Juni bis Sept. Mo.–Sa. 9.30–19.00, So. 12.00–17.00 Uhr, sonst auf Anfrage). Rund um den Hauptplatz gruppieren sich gut erhaltene Gebäude wie das **neugotische Rathaus**, der gotische **Bettica-** und der **Bradamante-Palast**.

VERANSTALTUNG

Bei der **Bumbarska fešta** werden Esel vor fantasievoll geschmückte Karren gespannt (am 2. Sa. im Aug.).

UMGEBUNG

Um den 24. Juni treffen sich die Dorfbewohner von **Svetvinčenat**, 15 km nördlich von Vodnjan, um die schönste Ziege zu küren, die dann mit Tüll und Blumen geschmückt wird. In der **Grotte Feštini** (Špilja Feštinsko kraljevstvo; www.sige.hr), 22 km nördlich von Vodnjan bei Žminj, kann man in die Welt der Stalagmiten und Stalaktiten eintauchen (Juni–Sept. 10.00 bis 18.00 Uhr). Die Stadt **Dvigrad** bei Kanfanar, 21 km nordwestlich, durchlebte Pest und Einnahme durch die Uskoken. Sie wurde im 17. Jh. verlassen. Heute spazieren Besucher entlang verwitterter Mauern. Die **Ausgrabungen von Nesactium** (Nezakcij), 16 km südöstlich von Vodnjan, erzählen von vorrömischer Zeit (Sommer tgl. 9.00–12.00, 16.00–20.00, Winter tgl. 9.00–12.00, 14.00/15.00–17.00/19.00 Uhr).

In Hum, der kleinsten Stadt der Welt, wird derjenige zum Bürgermeister gewählt, der am meisten auf dem Kerbholz hat.

Tanzfestival

Tipp

Die kleine Gemeinde **Svetvinčenat** hat große Ambitionen: Mit dem alljährlichen Festival des Tanzes und nonverbalen Theaters will man sich als mediterranes Tanzzentrum etablieren. Dazu sollen Performances und unkonventionelle Tanzeinlagen beitragen.

INFORMATION
Drittes Wochenende im Juli
www.svetvincenatfestival.com

INFORMATION
TZG, Narodni trg 3, 52447 Vodnjan,
Tel. 0 52 / 51 17 00,
www.vodnjandignano.com

 **Labin**

Labin erhebt sich auf einer Bergkuppe oberhalb der Ostküste Istriens. In der einstigen Steinkohlegegend riefen Bergarbeiter die Republik Labin aus.

SEHENSWERT
Die steile Straße führt hinauf zur mittelalterlichen **Altstadt**, die mit Bastionen und Stadtmauer befestigt ist. Man passiert die Porta Sanfior (Sv. Flor) mit dem venezianischen Löwen und gelangt in das Gassengewirr sowie zur Stadtloggia (16. Jh.).

MUSEUM
Das in einem Palazzo untergebrachte **Volkskundemuseum** (Narodni muzej) erzählt die Bergbaugeschichte der Stadt (Juli/Aug. Mo.–Sa. 10.00–13.00 u. 18.00–22.00 Uhr, sonst kürzer).

VERANSTALTUNG
Bei der **Labin Art Republika** stehen Musik, Kunst und Theater auf dem Programm (Facebook: @LabinArtRepublika; Juli/Aug.).

UMGEBUNG
Die Straße schlängelt sich 3 km hinunter in den beliebten Badeort **Rabac**. Den Grundstein für die einstige Bergarbeitersiedlung **Raša,** 4 km südwestlich von Labin, ließ Benito Mussolini 1936 legen. Bereits 30 Jahre später wurde die Kohleförderung wieder eingestellt, da sie nicht rentabel war. Der Glockenturm der Pfarrkirche Sv. Barbara (hl. Barbara), der Patronin der Bergleute, hat die Form einer Bergarbeiterleuchte. In der mittelalterlichen Siedlung **Barban**, 14 km südwestlich von Labin, treffen sich im Aug. Reiter in Volkstrachten zum traditionellen Ringstechen mit einer Lanze (Trka na prstenac).

INFORMATION
TZ Labin-Rabac, Aldo Negri 20,
52220 Labin, Tel. 0 52 / 85 55 60,
www.rabac-labin.com

Genießen   Erleben   Erfahren

Nur fliegen ist schöner

DuMont Aktiv

Auf einem Felsvorsprung über der 130 Meter tief hinabstürzenden Fojba-Schlucht thront dramatisch das Kastell von Pazin. Von diesem Schauplatz ließ sich schon Jules Verne (1828–1905) inspirieren, als er einen Teil seines 1885 veröffentlichten Romans „Mathias Sandorf" (auch: „Die Rache des Grafen Sandorf") dort ansiedelte: Der freiheitsliebende Romanheld plant einen Aufstand der Ungarn gegen die Habsburger, wird aber verraten und im Kastell von Pazin eingesperrt. Dem Helden gelingt die Flucht durch ein Schluckloch, auch Ponor genannt: Dort versickert das Flüsschen Pazinčica im porösen Karstgestein und fließt unterirdisch weiter. Erst 25 km westlich, beim Limski kanal, kommt sie wieder ans Tageslicht!

Zum Glück gibt es aber inzwischen ein relativ einfaches Fortbewegungsmittel, um die Schlucht zu überqueren Mit Haken und Ösen an der Zipline, einer Seilrutsche, befestigt, gleiten Mutige gefahrlos über die Schlucht. Schwindelfrei sollte man aber schon sein, wenn man an dem quer über den Abgrund gespannten Drahtseil hängend in luftiger Höhe dahinrast – nur fliegen ist schöner!

Weitere Informationen

Zipline: Die abenteuerliche Fahrt über die spektakuläre Schlucht umfasst vier Teilabschnitte. Dreifach abgesichert beginnt der Flug auf der Panoramaterrasse unterhalb des Hotels Lovac, wo man zunächst in niedrigerer Höhe (zwei mal 80 m Länge) auf die rasanteren Abschnitte vorbereitet wird. Nach weiteren 220 m erreicht man durchaus 50 km/h Geschwindigkeit und den Hof des Schriftstellerhauses, wo der vierte Abschnitt mit 280 m Länge beginnt (Mai–Sept. tgl. 12.00–20.00 Uhr, Tel. mobil 091 / 5 43 77 18).

Aussichtspunkt: Wer lieber nicht ganz so hoch hinaus will, muss einfach nur vom Kastell zur Vršič-Fußgängerbrücke hinunter spazieren. Auf der Brücke hat man einen schönen Blick auf die sattgrüne Schlucht von Pazin.

Das Tor zur Adria

Die Region Kvarner umspannt ein ganzes Mosaik an Landschaften: alte Seebäder mit Gründerzeitvillen, karge Inselherzen, auf denen genügsame Schafe Kräuter kauen, bewaldete Gebirgsdörfer wie aus einer anderen Zeit und bunte Hafenfassaden, die mediterrane Heiterkeit verbreiten.

Wahrzeichen des Hauptortes der Insel Rab sind die wie Kerzen in den Himmel ragenden Glockentürme.

Der Reiz der Inselwelt: Schlendert man durch die Dörfer auf Cres, hat man auch immer mal wieder tolle Blicke aufs Meer (ganz oben). Recht ungestört kann man in abgelegenen Buchten im türkisfarbenen Wasser baden – oder sich wie auf Rab schlicht die Sonne auf den Bauch scheinen lassen.

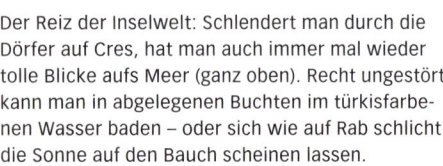

Die Insel Cres mit ihren schroffen Felsen blieb bislang noch vom Massentourismus verschont.

> „Ein Hauch von Verlust umgibt sie. Jede Insel ist ein Ort der potenzierten Sehnsucht. Inseln wollen wieder zum Ganzen zurück."
>
> Liane Dirks

Die Kroaten nennen sie gewöhnlich nur die *Stara cesta*, und jeder weiß sofort, welche „alte Straße" damit gemeint ist. Zweispurig schlängelt sich der ausgebaute Asphalt von Karlovac, das südlich der Hauptstadt Zagreb gelegen ist, durch die bewaldete Gebirgsregion Gorski kotar, eine Gegend, in der bis heute Braunbären durchs dichte Unterholz streifen. Irgendwann, nachdem das Auto die Serpentinen erklommen hat, fällt die Trasse genauso schlangenförmig wieder ab und gibt den Blick frei auf die azurblaue Kvarner Bucht, in der rund vierzig Inseln liegen. Das im Westen überraschend grüne Rab ist eine der größten davon.

Mit Inbetriebnahme der Autobahn Zagreb–Rijeka vor wenigen Jahren wurde die Stara cesta in eine Art Vorruhestand versetzt. Doch Reisende haben ihre guten Gründe, weiterhin die Serpentinenstrecke zu nutzen. Motorradfahrer legen sich an sonnigen Tagen weit in die Kurven hinein, und Feinschmecker wissen die alte Straße ohnehin zu schätzen, da *Odojak*, knusprig gegrilltes Spanferkel, und *Janjetina*, Lammbraten, hier vielerorts am Straßenrand angeboten werden. Stundenlang drehen sich die Braten vor den Gasthäusern am Spieß, und der Duft, den sie verströmen, bewegt irgendwann die Vorbeifahrenden fast zwangsläufig zum Anhalten. Die Portionen sind üppig, die Wirte herzlich, und der selbstgebrannte Kräuterschnaps Travarica brennt noch eine Weile im Rachen nach – all das versetzt den Gast in einen Zustand wohliger Zufriedenheit. Eines ist sicher: Es gibt Dinge, die entschädigen allemal für die kurvenreiche Fahrt.

Eiszeit oder Legende?

Im Kvarner haben viele Völker ihre Spuren hinterlassen, davon zeugen Gräber aus der Bronzezeit sowie Münzfunde und Amphoren der Griechen, die man auf Cres entdeckte. Auch die Römer prägten die Region – sie trennten den Inselarchipel Cres-Lošinj, ursprünglich ein Eiland. An der Südspitze von Cres, in der Ortschaft Osor, wurde der elf Meter breite Kavada-Kanal ausgehoben, um die Schiffsroute zu verkürzen. Heute führt eine Schwenkbrücke über die schmale Meerenge, die zweimal täglich – um 9.00 und um 17.00 Uhr – geöffnet wird. Wer mit seinem Boot zu spät hier ankommt, der muss warten!

Viel älter ist eine andere geografische Besonderheit, die den Archipel charakterisiert: Cres und Lošinj sind Bergkuppen, die aus dem Wasser herausragen. Ursprünglich waren sie einmal mit dem Festland verbunden. Als um 25 000 v. Chr. infolge geschmolzener Eismassen der

Die Seefahrt brachte dem Hauptort Mali Lošinj auf der Insel Lošinj Wohlstand.
Pastellfarbene Häuser säumen das Hafenbecken.

Klein und sehr idyllisch ist der Hafen von
Veli Lošinj, der sich tief in die Altstadt mit ihren
bunten Hausfassaden einschneidet.

Während das Essen auf der Restaurantterrasse serviert wird, senkt sich die Abenddämmerung über den romantischen Hafen von Veli Lošinj.

Special

Fischhalle in Mali Lošin

Alles frisch

....

In der Fischhalle von Mali Lošinj handelt man nicht nur mit Zahnbrasse, Dorade, Scampi & Co., hier trifft man sich auch gern am frühen Morgen zum Plausch, tauscht die wichtigsten Ereignisse aus, noch ehe die Tageszeitung mit der ersten Fähre vom Festland angeliefert wird.

Ein knatterndes Mofa stoppt nur wenige Meter vom Meer entfernt, direkt an der belebten Uferpromenade von Mali Lošinj. Allerdings wird der Motor gar nicht ausgeschaltet. Der Fahrer, mit geöffnetem Hemd und sonnengegerbter Haut, ruft in die kleine Fischhalle hinein: „Ana, gibt es heute noch Sardinen?" Die Angesprochene, eine behäbige Frau mittleren Alters, die mehrere Styroporschachteln mit glänzendem Fisch vor sich aufgetürmt hat, schüttelt den Kopf. Und versucht Mofa und Marktatmosphäre zu übertönen: „Nein, heute war kein guter Fang, Sardinen wurden überhaupt nicht angeliefert." Der Fahrer nickt und

Trotz der Vielfalt an Fisch, die in Kroatien angeboten wird, isst nur die Hälfte aller Küstenbewohner täglich davon.

braust davon. Auf Lošinj kennt man seine Kunden genau, das bringt das Inselleben mit sich.

Auch wer kein Meeresgetier kaufen möchte, sollte in der Fischhalle von Mali Lošinj vorbeischauen. Allein das kleine Gebäude lohnt schon einen Besuch: grauer Stein auf asymmetrischem Grundriss und tintenblaue Fenstergitter als Farbtupfer.

Meeresspiegel anstieg und die Region überschwemmte, versanken die Täler unter Wasser. Bloß die Bergkuppen ragten noch heraus.

Einer griechischen Sage zufolge soll sich die Entstehung der Inselgruppe Apsyrtiden, die neben Cres und Lošinj noch 36 winzige Eilande und Riffe umfasst, allerdings ganz anders zugetragen haben: Medea, die Jason zum Goldenen Vlies verholfen hatte, wurde auf ihrer Flucht vom Königssohn Absyrtos, ihrem Halbbruder, verfolgt. Er holte sie schließlich ein und überredete sie zu Verhandlungen. Beim Treffen geriet Absyrtos in einen Hinterhalt und wurde von Jason umgebracht. Medea zerschnitt den toten Körper und warf ihn ins Meer – genau an dieser Stelle sollen die Apsyrtiden entstanden sein.

Ein antiker Schönling

Überhaupt kennt die Region viele Mythen von den Griechen – aber auch konkrete Funde. So sorgte der altgriechische Athlet Apoxyomenos, kroatisch Apoksiomen, vor gut einem Jahrzehnt für helle Aufregung auf der Insel Lošinj. Seine Statue, deren Alter auf fast 2000 Jahre geschätzt wird, fand sich in der Nähe des Ferienorts Mali Lošinj auf dem Meeresgrund, eingeklemmt zwischen zwei Felsen. Man vermutet, dass sie einst als Op-

Beste Aussichten: Vrbnik thront mit seinen malerischen Gassen
hoch über der Küste von Krk.

Eines der Highlights in der Kvarner Bucht: Handtuch auf dem schönen Kieselstrand
von Baška ausbreiten und nur noch dem Plätschern der Wellen lauschen.

fer für die Götter ins Meer geworfen wurde, als das Schiff die Inselgruppe unbeschadet passiert hatte. Eine andere Theorie geht davon aus, dass man die Statue bei einem starken Sturm über Bord warf, um ein Kentern des Schiffes zu verhindern. Jahrelang wurde der antike Fund in Zagreb restauriert, allerdings fand man nicht heraus, welcher Meister ihn geschaffen haben könnte.

Bei Baška wurde das bislang älteste Denkmal in glagolitischer Schrift gefunden.

Weltweit sind acht Varianten des Apoxyomenos bekannt, die Statue von Lošinj gilt als die am besten erhaltene. Der antike Athlet hat nun ein eigenes Museum im Kvarner-Palais an der Uferpromenade von Mali Lošinj erhalten: Dort dreht sich alles nur um die Statue, kurzweilig präsentiert – doch die bekommt der Besucher erst ganz zum Schluss zu Gesicht.

Die „Tafel von Baška"

Die Region Kvarner ist reich an kulturellem Erbe. Dazu gehört auch der Fund kroatischen Schrifttums, auf den man im Süden der Insel Krk besonders stolz ist: In der winzigen Kirche von Jurandvor bei Baška fand man das bislang älteste in glagolitischer Schrift und altkroatischer Sprache verfasste Denkmal. Es entstand vermutlich um das Jahr 1100 und wird nach seinem Fundort „Tafel von Baška" (Bašćanska ploča) genannt. Das steinerne Dokument ist nicht unerheblich für den Nationalstolz der Kroaten, wird darauf doch erstmals ein kroatischer Herrscher in der Landessprache erwähnt: König Zvonimir soll dem Dorf Jurandvor bei Baška ein Grundstück geschenkt haben, wie der Text in dreizehn Zeilen erzählt.

In der Kirche Sv. Lucija, die früher zum Benediktinerkloster von Jurandvor

Der Pršut, als luftgetrockneter Schinken eine Spezialität, wird auch in diesem Lokal in Vrbnik auf Krk als Vorspeise serviert.

Auf quadratischem Grundriss ließen die Uskoken die Festung Nehaj errichten, in die sie sich nach ihren Überfällen auf venezianische Schiffe zurückzogen.

Man hat die Qual der Wahl angesichts der überbordenden Gemüsevielfalt auf dem Markt von Rijeka – und das täglich!

Das leise Schwappen des Meeres begleitet den Spaziergänger am Lungomare in Opatija.

Hier pocht das Herz der Stadt: Auf dem Korzo von Rijeka trifft man sich sommers wie winters zum Shoppen oder auf einen Plausch im Café.

In den alten Markthallen am Hafen von Rijeka wird Fisch in seiner ganzen Vielfalt angeboten.

gehörte, wird heute nur eine Kopie der Steintafel aufbewahrt. Das Original, das am Rand eine gewundene stilisierte Bordüre trägt, ist in Zagreb zu besichtigen.

Im Kampf gegen Venezianer

Zu den schönsten Festungen an der kroatischen Küste gehört die Burg Nehaj, deren Name wörtlich „Fürchte nichts" bedeutet. Stolz thront das trutzige Baudenkmal über der Altstadt der Küstenstadt Senj. Um die Uskoken, die hier im 16. Jahrhundert lebten, ranken sich bis heute viele Mythen. Für die einen waren sie tapfere Helden, für die anderen verwegene Piraten. Ursprünglich handelte es sich um Christen, die vor den osmanischen Eroberern aus den Gebieten Kroatiens, Bosniens und der Herzegowina geflüchtet waren und sich in Senj niedergelassen hatten. Sie schworen Rache und kämpften von hier aus gegen Osmanen und Venezianer. Mit Duldung der Habsburger überfielen sie die venezianischen Schiffe, die hier die Meerenge passierten. Die angespannte Situation zwischen allen Beteiligten eskalierte schließlich im 17. Jahrhundert und mündete in den Uskoken-Krieg, in dessen Folge die Uskoken Senj verlassen mussten.

Die Burg Nehaj inspirierte auch den Schriftsteller Kurt Held (1897–1959), der hier seinen Jugendbuchklassiker „Die Rote Zora und ihre Bande" (1941) ansiedelte. Darin erzählt er die Geschichte von Waisenkindern aus Senj, die sich zur Bande der Uskoken zusammenraufen und allerlei Streiche aushecken. Die Romanvorlage wurde mehrfach verfilmt, u.a. mit Mario Adorf als altem, sich Zora und ihrer Bande annehmendem Fischer (in diesem Fall entschied man sich allerdings für Montenegro als Drehort, da die Burg Nehaj bereits zu sehr modernisiert worden war, um den zeithistorischen Rahmen noch adäquat illustrieren zu können).

Närrisches Treiben am Meer

Karneval wird keineswegs nur in Köln oder Mainz gefeiert! Auch die kroatische Hafenstadt Rijeka, Europäische Kulturhauptstadt 2020, hat ihren großen, internationalen Karnevalsumzug, bei dem sich am Karnevalssonntag bis zu 100 000 kostümierte Narren in der Innenstadt versammeln und Clowns sich entlang der Hafenpromenade aufwärmen, um sich dann um 12.00 Uhr in Gang zu setzen.

Angeführt wird die Parade vom „Stadtmeister" *(Meštar)*, der Karnevalskönigin und dem kleinen Mohr, dem *Morčić*, der mit seinem bunten Turban als Wahrzeichen von Rijeka gilt und an die Bedrohung durch die Osmanen erinnern soll. Zu den traditionellen Karnevalsgestalten gehören auch die *Zvončari*, die große Glocken am Kostüm tragen. Sie sind nicht nur in der Kvarner Bucht, sondern auch in anderen Landesteilen Kroatiens verbreitet. Charakteristisch sind Felle als Rückenwärmer, gestreifte Matrosenhemden und Tiermasken mit Hörnern.

Fast jede Gemeinde in der Kvarner Bucht hat ihr eigenes Brauchtum – eines ist ihnen jedoch gemein: Für die kollektiven Sünden muss immer der *Mesopust*, *Pust*, *Fašnik* oder wie er sonst noch in Kroatien heißen mag, büßen – eine Stroh- oder Stoffpuppe, die das Ende des Karnevals symbolisieren soll. Entsprechend wird der Pust traditionell am Karnevalsdienstag oder Aschermittwoch verurteilt und schließlich auf dem Dorfplatz aufgehängt oder verbrannt.

Um die Uskoken ranken sich bis heute zahlreiche Mythen.

DAS WINTERLICHE WIEN AN DER ADRIA

Nostalgie der Donaumonarchie

Das mondäne Seebad Opatija in der Kvarner Bucht verzaubert mit prunkvollen Villen und Hotels, die sich an Stil, Stuck und Sternen gegenseitig übertrumpfen. Architektur und alte Namen erinnern an die K.-u.-k.-Monarchie, als Adel und Großbürger dem Winter entflohen und in das milde, immergrüne „österreichische Nizza" reisten.

Natürlich darf das „Wolferl" im K.-u.-k.-Ambiente nicht fehlen. Wenigstens als Büste ist Mozart in dem nach ihm benannten Hotel präsent.

Durch die Palmen, die sich in den Vorgärten der Villen von Opatija wiegen, streift von der Küste her eine leichte Brise, fast als wollte sie den Gründerzeitfassaden ein wenig Frischluft zufächeln. Das scheinen die meisten jedoch gar nicht nötig zu haben, denn in den vergangenen Jahren wurden die eleganten Häuser in majestätischem Gelb und aristokratischem Weiß veredelt. Das Seebad Opatija, das sich im Schatten des hohen Učka-Gebirgsmassivs vor kalten Fallwinden duckt, erstrahlt nun längst wieder im alten Epochenstil.

Torte auf der Seeterrasse

Weit ausschwingende Marmortreppen führen die Gäste in eine Welt der Kronleuchter, Jugendstilkommoden und Balkone mit winzigen Tischen, von denen der Blick abends auf die orangefarbenen Lichter in der Kvarner Bucht schweift: so wie aus den oberen Etagen des „Hotel Mozart", das mit Namen und Jugendstilinterieur zwar auf Nostalgie setzt, seinen Keller jedoch längst mit modernem Whirlpool ausgestattet hat. Nur wenige Meter weiter erhebt sich bereits seit 1885 die einstige Edelherberge „Kronprinzessin Stephanie", heute das „Hotel Imperial", das auch für weniger Betuchte einen Hauch verstaubten Epochencharmes bereithält.

Gäste aus Moskau und Milano

Das „Hotel Milenij" (Millennium) auf der anderen Straßenseite setzt ebenso auf K.-u.-k.-Tradition, auch wenn die Gäste heute eher aus Moskau und Milano anreisen. In den großen Fenstern des „Café Wagner" lockt die ver-

Einst tanzte der Adel im Ballsaal des Hotels Kvarner Walzer – es war das erste Hotel vor Ort.

Köstliche Sachertorte wird auf der Terrasse des „Café Wagner" in Opatija serviert. Und schon verfällt der Gast in süßeste K.-u.-k.-Nostalgie …

Im 1884 errichteten „Quarnero", heute „Kvarner", tanzte einstmals der Adel. An diese Tradition wird neuerdings mit der „Kaisernacht" im Juli angeknüpft, mit Polka, Kostümierten und einer Teezeremonie für „Eure Hoheit" und alle Normalsterblichen; stilecht mit den entsprechenden Tässchen und Kännchen serviert.

Ganzjährig mediterranes Flair

Dass die Vergangenheit hier so gepflegt wird, kommt nicht von ungefähr, schließlich verdankt Opatija die Anfänge seiner Tourismustradition der damaligen Hautevolee der Donaumonarchie. Im ausgehenden 19. Jahrhundert zog es die Oberschicht vor allem in den Wintermonaten nach Opatija, in das „südliche Wien", in dem Palmen, Magnolien und Agaven ganzjährig mediterranes Flair versprühen. So wie im üppig blühenden Park rund um die neoklassizistische Villa Angiolina, die der vermögende Geschäftsmann Iginio Ritter von Scarpa bereits 1844 im Dörfchen Abbazia errichtet und nach seiner Frau benannt hat. Das elegante Haus gilt als Wiege des Fremdenverkehrs, und nicht von ungefähr ist heute darin das einzige Tourismusmuseum Kroatiens untergebracht. Auf Schwarz-Weiß-Fotografien und Postkarten sind Urlaubsgrüße auf Deutsch nachzulesen.

In nostalgischer Pracht: mit Sachertorte und Pfannkuchen

Bereits 1889 war Opatija offizieller Kurort der Doppelmonarchie. Hotels und Parks wurden weiter ausgebaut; bis ins südlicher gelegene Lovran fuhr sogar eine Straßenbahn. Der Erste Weltkrieg stoppte den Aufschwung allerdings jäh.

In sozialistischen Zeiten unter Tito kurbelte man den Kongresstourismus an, aber auf anderem Niveau. Seit Mitte der 1990er-Jahre glänzt Opatija wieder in nostalgischer Pracht, mit köstlicher *Sahertorta* (Sachertorte) und leckeren *Palačinke* (Pfannkuchen) auf den Speisekarten, an denen auch die Habsburger Sommerfrischler Gefallen gefunden hätten. Aber auch mit Grundstücks- und Hotelpreisen, die sich mancherorts eher an den einstigen großbürgerlichen Kurgästen orientieren.

mutlich beste Sachertorte südlich von Wien. Serviert wird sie von Kellnern in gestärkten Hemden.

Die Seeterrasse berührt fast den Lungomare: Über zwölf Kilometer hinweg schlängelt sich die Flaniermeile an Sonnenanbetern auf bunten Handtüchern entlang – oder an schäumenden Wellen, die an manchen Tagen aufgeregt gegen das Ufer peitschen.

Wohin der Adel reiste

Hier flanierte einst auch der österreichische Regent Franz Joseph I., als Opatija noch den italienischen Namen Abbazia trug. Daran erinnert bis heute die offizielle Bezeichnung des Lungomare: Šetalište Franje Josipa – Franz-Joseph-Spazierweg.

Doch der Kaiser soll nicht allein in Abbazia geweilt haben, wird gemunkelt. Vielmehr traf er sich hier mit seiner Konkubine, der Burgtheater-Schauspielerin Katharina Schratt. Und zwar mit dem Segen von Gattin Elisabeth, genannt Sisi oder – etwas filmtauglicher buchstabiert – „Sissi".

Die im Jahr 1891 direkt an der Uferpromenade errichtete Villa Madona beherbergt heute Opatijas Casino Admiral.

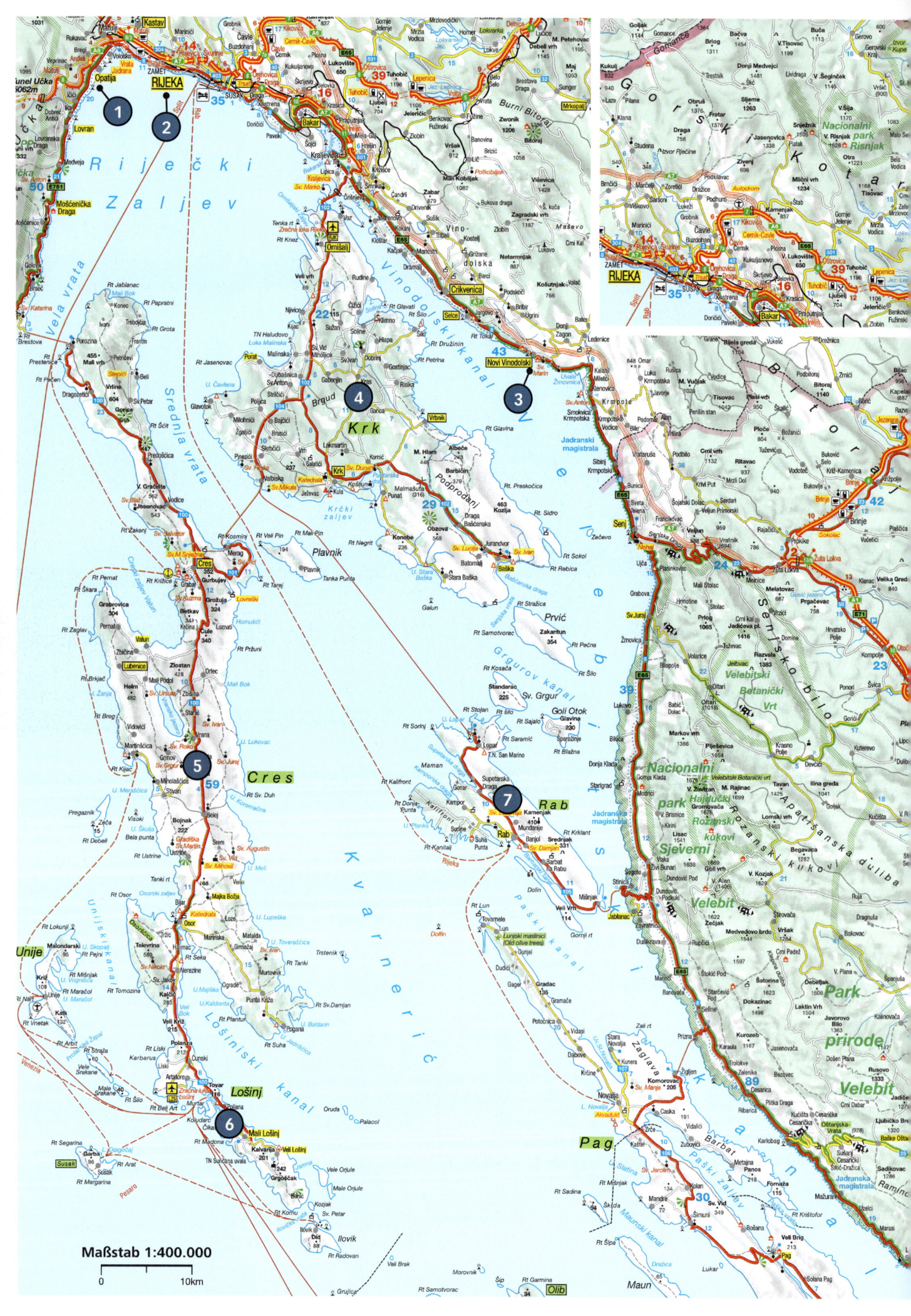

Maßstab 1:400.000

0   10km

Seebäder, Kurorte, Inseln

Die Nähe zu Mitteleuropa ist der Trumpf der Region. Kaum bleiben die Alpen zurück, tauchen schon bald die dichten Bergwälder des Gorski kotar auf, im Hinterland der Kvarner Bucht. Die lockt mit alten Seebädern wie Opatija, geschäftigen Hafenstädten wie Rijeka oder milden Kurorten wie Mali Lošnij fast ganzjährig Gäste an.

❶ Opatija

Das mondäne Seebad (13 000 Einw.) ist die Grande Dame des kroatischen Tourismus. Seine Flaniermeile, der **Lungomare**, erstreckt sich über 12 km entlang der Riviera.

MUSEUM

Die neoklassizistische Villa Angiolina in einem subtropisch-mediterranen Park beherbergt das erste **Tourismusmuseum** (Muzej turizma) des Landes (Juli/Aug. 10.00–22.00, sonst bis 18.00/ 20.00 Uhr; www.hrmt.hr).

AKTIVITÄTEN

Ausgeschilderte Wander- und Mountainbike-Wege führen durch das **Učka-Bergmassiv** hinauf auf den Gipfel Vojak (1401 m ü.d.M., mit K.u.k.-Rundturm). Anreise: A8 Opatija-Pula, Ausfahrt Veprinac, Beschilderung: Poklon-Pass folgen (www.pp-ucka.hr).

HOTEL/RESTAURANT

Das € € € **Mozart** ist ein elegantes Jugendstilhotel (M. Tita 138, Tel. 0 51 / 71 82 60, www.hotel-mozart.hr). Für gute Grillgerichte, Pizza, Pasta und Risotto ist das € € **Ružmarin** bekannt (Veprinački put 2, Tel. 051 / 71 26 73, www.restaurant-ruzmarin.com).

UMGEBUNG

Das Villenstädtchen **Lovran,** 6 km südlich, ist eine Art „Verlängerung" von Opatija. Bei der

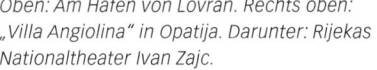

Oben: Am Hafen von Lovran. Rechts oben: „Villa Angiolina" in Opatija. Darunter: Rijekas Nationaltheater Ivan Zajc.

Marunada Mitte Oktober werden Maroni feilgeboten und köstliche Schnäpse.

INFORMATION

TZG, Ul. Maršala Tita 128, 51410 Opatija Tel. 051 / 27 13 10, www.visitopatija.com

❷ Rijeka

Fiume hieß die Hafenstadt (129 000 Einw.) unter den italienischen Machthabern zwischen den Weltkriegen. Heute lockt die „Europäische Kulturhauptstadt 2020" mit Karneval, Palästen und Museen.

SEHENSWERT

Die Fußgängerzone **Korzo** mit ihren Bürgerhäusern verläuft parallel zur Uferpromenade **Riva** und führt zum **Stadttor mit Uhrturm** (Gradski toranj), dessen Zifferblatt seit 1873 den Habsburger Doppeladler abbildet. Über den Korzo gelangt man auch zur barocken **Kirche Sv. Marija Uznesenija** (Mariä Himmelfahrt, 13. Jh.) mit „schiefem Turm". Nördlich des Römischen Tors kommt man zur barocken Kathedrale **Sv. Vid** (hl. Veit). Am westlichen Ende der Fußgängerzone führt eine mächtige Freitreppe zur 1908 fertiggestellten **Kapucinska**

crkva **Gospe Lurdske** (Kapuzinerkirche der Mutter Gottes von Lourdes) mit weiß-brauner Mosaikfassade. In Richtung **Hafen** erhebt sich das **Nationaltheater Ivan Zajc** (1885), das nach dem „kroatischen Verdi" benannt ist. Der **Theaterpark** führt zu den **Jugendstil-Markthallen** (Tržnice), gegenüber thront das neobarocke **Modello-Palais** an der Riva.

MUSEEN

Im neobarocken Gouverneurspalast ist das **Seefahrts- und Geschichtsmuseum der kroatischen Küstenregion** (Pomorski i povijesni muzej Hrvatskog primorja) untergebracht (Muzejski trg 1; Mo. 9.00–16.00, Di.–Sa. 9.00 bis 20.00, So. 16.00–20.00 Uhr; www.ppmhp.hr). Das **Naturkundemuseum** mit seinen Aquarien lohnt mit Kindern einen Abstecher (Lorenzov prolaz 1, tgl. 9.00–20.00 Uhr, www.prirodoslovni.com). Das **Museum für moderne und zeitgenössische Kunst** (Muzej moderne i suvremene umjetnosti) ist in einer alten Fabrik in Bahnhofsnähe untergekommen (Krešimirova ul. 26 c, Di.–So. 11.00–20.00 Uhr; www.mmsu.hr).

VERANSTALTUNG

Höhepunkt des Karnevals ist der **Karnevalsumzug** am Sonntag (www.rijecki-karneval.hr).

Tipp

„Pariz-Bakar"

Wer an der Autorallye „Pariz–Bakar" teilnehmen möchte, muss ein maskiertes Gefährt und mindestens 98,7 Promille Karneval im Blut haben, so die Startbedingungen. Die 15 km lange traditionelle Autorallye beginnt bei der Pizzeria Pariz in Rijeka und führt nach Osten, ins einstige Fischerdörfchen Bakar.

INFORMATION

In der Regel am Samstag vor Karneval; www.rijecki-karneval.hr

HOTEL / RESTAURANT

Bestes Haus im Zentrum ist das € € € **Grand Hotel Bonavia** (Dolac 4, www.bonavia.hr). Im ehemaligen Luftschutzbunker am Hafen, € € **Boonker**, schmeckt die Pizza (Riva 1, Tel. 051 / 40 17 38, www.boonker.hr, tgl.).

UMGEBUNG

Der Aufstieg zur Frankopanen-**Festung Trsat** (Tvrđava) mit der **Wallfahrtskirche Sv. Marija** zieht sich über 561 Stufen ab dem Trg Tita. Der **Nationalpark Risnjak** (Nacionalni park Risnjak), in dem u. a. Bären in freier Wildbahn leben, taucht nach einer Stunde Autofahrt in Richtung Zagreb auf (www.np-risnjak.hr).

INFORMATION

Turistički informativni centar (TIC), Korzo 14, 51000 Rijeka, Tel. 0 51 / 33 58 82, www.visitrijeka.eu

③ Novi Vinodolski

Baden! Dazu kommt man ins „Neue Weintal", so die Übersetzung. Im Mittelalter regierte in dem Städtchen (5300 Einw.) das kroatische Fürstengeschlecht der Frankopanen.

SEHENSWERT

Der Hauptplatz versammelt die schönsten Bauwerke um sich: die barocke **Kirche Sv. Filip i Jakov** (hl. Philipp und Jakob) mit 36 m hohem Glockenturm und das **Frankopanen-Kastell**, Regierungssitz des Fürstentums Vinodol. Hier wurde 1288 eines der ältesten europäischen Rechtsdokumente verfasst: Vinodolski zakon, das Gesetz von Vinodol. Eine Kopie des ältesten slawischen Rechtsdokuments wird im **Volkskundemuseum** (Narodni muzej i galerija) gegenüber aufbewahrt (Juli/Aug. Mo.–Sa. 9.00–12.00, 19.00–21.00 Uhr, So. nur vorm., Sept.–Juni Mo.–Fr. 9.00–12.00 Uhr).

Tipp

Oase für seltene Greifvögel

Der bedrohte Gänsegeier war fast ausgestorben, nun leben wieder 100 Familien in der Kvarner- Region und im Velebit. Das Öko-Zentrum Caput Insualae im winzigen Bergdörfchen Beli auf der Insel Cres kümmert sich um verletzte Vögel und Jungtiere und informiert mit einer interaktiven Ausstellung. Die Tiere leben in Volieren, ehe sie wieder ausgewildert werden.

INFORMATION

Beli 4, 51559 Beli, Insel Cres, www. belivisitorcenter.eu, Juni–Aug. tgl. 10.00–18.00, übrige Zeit Di.–So. 10.00–14.00/16.00 Uhr

---

Oben: Die linke Altarschranke in der Kapelle Sv. Lucija in Jurandvor bei Baška auf der Insel Krk zeigt heute eine Kopie der ursprünglich dort befindlichen, auf das Jahr um 1100 datierten „Tafel von Baška" mit ihrer glagolitischen Inschrift. Das Original wird in der Kroatischen Akademie der Wissenschaften und Künste in Zagreb aufbewahrt. Rechts: Badevergnügen am flachen Kieselstrand von Baška auf der Insel Krk.

AKTIVITÄT

Am Strand des Seebads Crikvenica (9 km nördl.) trifft man sich zum **Beachvolleyball.**

VERANSTALTUNG

Beim internationalen **Sommerkarneval** im Juli schwingen Tanzmariechen die Beine.

HOTEL

Die Hotelanlage € € € € **Novi** hat sich der Wellness verschrieben (www.novi.hr).

UMGEBUNG

Senj (23 km südl.) ist für seine 18 m hohe **Festungsanlage Nehaj** (Tvrđava Nehaj) bekannt.

INFORMATION

TZG, Kralja Tomislava 6, 51250 Novi Vinodolski, Tel. 0 51 / 79 11 71, www.tz-novi-vinodolski.hr

④ Insel Krk

Die Insel ohne Vokale lockt mit schönen Stränden, Camping und FKK. Eine 1,3 km lange Brücke verbindet sie mit dem Festland.

SEHENSWERT

Die kleinen Ferienorte der größten kroatischen Insel, **Njivice** und **Malinska**, liegen an der Westküste, der Weinort **Vrbnik** thront über der Ostküste. Auf dem Weg nach Rudine im Nordosten erreicht man die **Tropfsteinhöhle** (špilja) **Biserujka** (ab 9.00 Uhr). Der Hauptort **Krk** im Südwesten ist seit dem 4. Jh. Bischofssitz, die Kathedrale formt mit den umliegenden Sakralbauten einen Komplex. Trutzig wirkt die **Frankopanen-Burg** (Frankopanski kaštel). Östlich von Krk liegt der Jachthafen von **Punat**.

AKTIVITÄTEN

Im Südosten der Insel erstreckt sich der flache **Kieselstrand von Baška** TOPZIEL.

RESTAURANT

Im € € € **Rivica** wird frischer Fisch aufgetischt (Ribarska obala 13, Njivice, Tel. 0 51 / 84 61 01), www.rivica.hr.

UMGEBUNG

Die schattige **Klosterinsel Košljun** aus dem 13. Jh. hütet wertvolle Schriften und archäologische Funde. Anreise: Taxiboot ab Punat.

INFORMATION

TZ, Trg sv. Kvirina 1, 51500 Krk, Tel. 0 51 / 22 13 59, www.krk.hr

⑤ Insel Cres

Schafe weiden zwischen den Felsen der 66 km langen Insel (3200 Einw.). Mit der Fähre setzt man ab Valbiska (Krk), Brestova (Istrien) oder Rijeka über.

SEHENSWERT

Mittelalterliche Tore führen in die **Altstadt von Cres**, wo es eine **Stadtloggia** (Gradska loža) am Hafen zu entdecken gibt. Im **Patrizierpalais Arsan** (Palača Arsan) werden Amphoren gezeigt (Ribarska 7). In der Inselmitte schlängelt sich ein Sträßchen nach **Lubenice**, das mit alten Steinhäusern über steilen Felsen ruht. Südwestlich liegt **Osor**, mit schmucker Marienkirche (15. Jh.) und Archäologischer Sammlung (Arheološka zbirka) im alten Ratssaal (www.muzej.losinj.hr; Mitte Juni–Mitte Sept. Di.–So. 10.00–13.00, 19.00–22.00 Uhr, sonst kürzer).

VERANSTALTUNG

Musikabende von Osor (Osorske glazbene večeri) im Juli/Aug. (www.osorfestival.eu).

INFORMATION

TZG, Cons 10, 51557 Cres, Tel. 0 51 / 57 15 35, www.tzg-cres.hr

⑥ Insel Lošinj

Das milde Klima lockt fast ganzjährig Reisende auf die Insel (7800 Einw.). Mali Lošinj ist mit Rijeka, Zadar und Pula mit der Fähre verbunden. Mit dem Auto durchquert man die Insel Cres.

Tipp

Pate für Flipper

Bei Lošinj kann man mit etwas Glück einen der etwa 200 offiziell registrierten Delfine sehen. Die bedrohten Meerestiere können ab 30 Euro pro Jahr adoptiert werden.

INFORMATION
1. Juli: Delfin-Tag mit Infos und Spielen; www.blue-world.org

SEHENSWERT/MUSEEN

Kapitäne bauten spätklassizistisch-barocke Villen entlang der Uferpromenade in **Mali Lošinj**; in einer ist das **Museum des Apoxyomenos** (Muzej Apoksiomena) untergebracht. Hier dreht sich alles effektvoll um die wertvolle antike Bronzestatue (Sommer Di.–So. 9.00–13.00 u. 18.00–22.00 Uhr, www.muzejaposiomena.hr). Vom Kurtourismus der K.u.k.- Epoche zeugen Villen in der bewaldeten Bade- und Hotelbucht Čikat. Im Nachbarort Veli Lošinj schneidet sich die malerische Hafenbucht tief ins Landesinnere. Der **Rundturm** (Kula) birgt ein Museum (www.muzej.losinj.hr, Sommer Di.–So. 10.00 bis 13.00 u. 19.00–22.00, Winter Di.–So. 9.00–17.00 Uhr).

AKTIVITÄT

In den Häfen gibt es **Ausflüge** auf die Blumeninsel **Ilovik**, die Sanddüneninsel **Susak** und die romantische Badeinsel **Unije**.

INFORMATION
TZG, Priko 42, 51550 Mali Lošinj, Tel. 0 51 / 23 18 84, www.visitlosinj.hr

❼ Insel Rab

Die 94 km² große Insel (9000 Einw.) tauften die Illyrer aufgrund ihrer Wälder „Arba". Zwischen Stinica (Festland) und Mišnjak (Rab) oder Valbiska (Krk) und Lopar (Rab) verkehrt die Autofähre (Trajekt), die Personenfähre ab Rijeka.

SEHENSWERT

Der historische Kern von **Rab** erstreckt sich auf einer Landzunge zwischen Hafen und der Bucht Sv. Eufemija. Der schöne Park **Komrčar** lädt zum Spaziergang ein. Die Feriensiedlung **Lopar** im nördlichen Teil der Insel ist für ihren flach abfallenden „Paradiesstrand" bekannt – einen der seltenen Sandstrände in Kroatien.

HOTEL

Das **€ €** **Hotel International** ist in die alte Stadtmauer am Hafen eingebettet (Obala kralja P. Krešimira IV, www.hotelrab.com).

INFORMATION
TZG, Trg Municipium Arba 8, 51280 Rab, Tel. 0 51 / 72 40 64, www.rab-visit.com

---

Genießen   Erleben   Erfahren

DuMont Aktiv

Ab ins Mittelalter

Bei Fanfaren, Fackeln und Feuerwerk verwandeln sich die engen Gassen von Rab in einen mittelalterlichen Markt. Drei Tage lang wird traditionell gefeiert und gefeilscht, mit einem Ritterturnier erreicht die Rabska Fjera ihren Höhepunkt.

In der Altstadt von Rab kommt man sich näher, ob man will oder nicht. Die Besuchermenge hat die Gassen eingenommen und wartet auf den Beginn der traditionellen Fjera: Der Kanonenschlag lässt das Herz kurz aufspringen, und gleich darauf setzt sich eine Parade aus Hirten, Gauklern, Künstlern und anmutigen Damen in Bewegung.

Hier wird gewebt, dort brodelt ein Kessel über einer Feuerstelle, und ganz in der Nähe kneten zwei Frauen mit samtenen Puffärmeln einen Teig, der sich später in kreisrunde Brotlaibe verwandelt. In Robin-Hood-Stiefeln fechten tapfere Helden miteinander, ein Korbmacher hat seine Weidenruten in einer Gasse ausgebreitet, während Mandolinenklänge dem mittelalterlichen Treiben eine heitere Note verleihen.

Als Rab im Jahr 1364 unter dem Einsatz von Armbrustschützen zumindest für eine gewisse Zeit unabhängig von Venedig wurde, beschloss die Stadtverwaltung, die „Rabska Fjera" einzuführen. Zwei Wochen lang wurden die Stadttore geöffnet, und auch Unholde durften die Altstadt betreten.

Weitere Informationen

Wie im Mittelalter
Viermal im Jahr finden in Rab Ritterspiele statt. Die dreitägige Rabska Fjera rund um den Namenstag des Stadt- und Inselpatrons, des hl. Christophorus (Sv. Kristofor), Ende Juli hingegen erinnert an die Befreiung Rabs.

Termine
Ritterspiele mit Armbrustschützen: 9. Mai, 25. Juni, 27. Juli, 5. August

Rabska Fjera:
25.–27. Juli

Tosende Wasser und Spitzenkunst

Norddalmatien wird im Hinterland der Küste von zerklüfteten Felslandschaften und Nationalparks geprägt, eine ideale Kulisse für Wildwestfilme. Die versprengten Inseln, von rauen Bora-Winden blank geschliffen, sind ein Paradies für Skipper, die hier zwischen menschenleeren Eilanden hindurchsegeln.

Im Gänsemarsch über die Planken – die Plitwitzer Seen im Hinterland Kroatiens sind längst kein Geheimtipp mehr.

Dramatisch stürzt das Wasser in die Tiefe, manchmal ist das
Rauschen im Nationalpark Plitwitzer Seen ohrenbetäubend.

Glücklich ist, wer schon einen Platz auf dem
Boot ergattert hat – dann geht die Fahrt über den
See, vorbei an ausgedehnten Wäldern. Wanderun-
gen führen zu faszinierenden Wasserfällen.

Wanderer können sich im Nationalpark Plitwitzer Seen einer naturbelassenen Landschaft verbunden fühlen. Wo sonst sind derart klare Seen zu finden?

Im lang gestreckten Nationalpark Plitwitzer Seen (Plitvička jezera), der hohe bewaldete Anhöhen einschließt, reihen sich sechzehn Seen aneinander – durch rauschende Wasserfälle verbunden, die teils dröhnend in die Tiefe stürzen und den Reiz einer der schönsten Naturlandschaften in Europa ausmachen. Durch die Kaskaden hindurch bahnt sich der Fluss Korana seinen Weg, um letztlich einen Höhenunterschied von insgesamt 156 Metern zu überwinden. Der Nationalpark, der unter dem Schutz der UNESCO steht, gilt als Naturwunder: Die Wasserfälle verändern aufgrund von Rauwacken, die aus porösem Dolomitgestein entstehen, ständig ihre Form und ihr Aussehen. Die Kalksteinbarrieren, zu denen Algen, Moose und Kalziumkarbonat beitragen, leiten den Lauf des Wassers allmählich um. Allerdings ist dies ein recht langsamer Prozess. Die Seen im unteren Abschnitt des Nationalparks waren früher einmal unterirdische Hohlstellen in der Erde, die später eingebrochen sind.

Kornaten: eine Handvoll Sterne im Meer

Am letzten Schöpfungstag wollte Gott sein Werk krönen und schuf aus Tränen, Sternen und Atem die Kornaten – formulierte es der irische Dichter George Bernard Shaw. Dabei bezog er sich auf eine Legende, nach der Gott eine Handvoll Steine wahllos ins Meer geworfen, auf das wunderbare Ergebnis geblickt und beschlossen haben soll, es so zu belassen. Heute bilden die Kornaten mit ihren 147 teils winzigen Inseln und Riffen den größten Archipel in Kroatien. Dieser breitet sich, vor der norddalmatinischen Küste hingesprenkelt, auf einer Fläche von rund 220 Quadratkilometern aus. Die Inselwelt ist karg, auf dem Karst wächst oft nur Macchia. Die Felsen aber, die sich zum Meer hin öffnen, fallen außergewöhnlich steil ins Wasser ab. Der Archipel, auf dem menschliche Spuren aus der Jungsteinzeit entdeckt wurden, wird von der Insel Murter aus verwaltet und erhielt 1980 Nationalparkstatus.

Für Segler gelten die Kornaten mit ihren malerischen, menschenleeren Eilanden, die teils geschickt umschifft werden müssen, als eines der schönsten Reviere in der Adria. Und wenn die Segel nach einem langen Tag auf hoher See eingeholt werden, legen viele Besatzungen an einer verträumten Insel an, um sich in einer Konoba frischen Fisch und Hauswein auftischen zu lassen.

Genuss in der Bastflasche

Wer in Zadar ankommt, einer antiken Stadt mit jungem Flair und vielen Studenten, mag sich zunächst wundern: Am Bahnhof wird der Besucher mit dem Wort „Maraska" begrüßt. Nein, das ist keine Ortsbezeichnung, sondern ein traditioneller Hersteller. Zunächst ist es aber auch der Name für die berühmte

Die Plitwitzer Seen sind eine der schönsten Naturlandschaften Europas.

Kirsche, aus der Maraschino-Likör gewonnen wird: Die Stadt ist für den Fruchtlikör berühmt.

Seine Produktion trug zum Wohlstand von Zadar bei. Denn die Hersteller, die mit dem Likörgeschäft zu Reichtum gelangt waren, ließen vornehme Bürger-

Große Blendbögen gliedern die Außenfassade der Kathedrale in der Altstadt von Zadar, das von den Venezianern zur mächtigen (seit 2017 zum UNESCO-Welterbe zählenden) Festung ausgebaut wurde.

Der Wind und die Melodie

Eine graue Betonpromenade am Meeresufer – das war einmal. Längst ist die Küstenstadt Zadar um eine architektonische Einzigartigkeit reicher: die Meeresorgeln (Morske orgulje).

Die Treppe aus weißem Marmor erstreckt sich über eine Länge von 75 Metern und fällt kaskadenartig ins Wasser ab. Wellen und Wind sind Orchester und Komponist zugleich. Sie pressen Luft in 35 Plastikrohre, die in ebenso viele Pfeifenöffnungen an der Oberfläche der Uferpromenade münden.

Die Luft wird von Luftlöchern in der Treppe angesogen und mit der nächsten Wellenbewegung durch die Pfeifen hinausgedrückt. Dementsprechend entstehen nur Töne, wenn sich das Meer bewegt. Die Melodie der Meeresorgeln, die der Architekt und Steinmetz Nikola Bašić 2005 geschaffen hat, lehnt sich an die traditionellen dalmatinischen A-capella-Gesänge einer Volksmusikgruppe (Klapa) an.

Musik liegt in der Luft (und im Wasser) …

häuser errichten. Bereits im 17. Jahrhundert florierte der Handel. Das Original-Rezept der 32-prozentigen Spirituose soll bereits ein Jahrhundert zuvor im örtlichen Dominikanerkloster entstanden sein.

Es handelt sich um eine Art süßen Brandy: Die regionaltypischen Sauerkirschen werden bei der Herstellung mitsamt den jungen Blättern zerkleinert, wie ein Weinbrand destilliert, mit Zuckersirup versetzt und nach einiger Lagerung gefiltert. Lange Zeit galt der Likör, der traditionell in einer mit Bast umwickelten Flasche daherkommt, als Getränk der Hautevolee. Schon Casanova soll ihn genossen haben, auf der letzten Fahrt der legendären „Titanic" soll der süße Tropfen ausgeschenkt worden sein.

Maraschino wird pur getrunken, in den Cafés von Zadar allerdings auch gern mit Gin, Rum oder anderen Spirituosen gemischt – wer's mag. Der legendäre Hollywood-Regisseur Alfred Hitchcock soll seinerzeit bei einem Schluck Maraschino an der Riva von Zadar gesagt haben: „Das ist wohl der schönste Sonnenuntergang der Welt." Ob der Likör zu dieser Schwärmerei beigetragen hat, ist nicht überliefert.

Badeschaum zu House-Rhythmen

Wer mit der Fähre von Prizna auf dem Festland nach Žigljen auf der Insel Pag übersetzt, bewegt sich dort erst einmal kilometerweit durch eine öde Mondlandschaft. Der unwirtliche Bora-Wind hat seine Spuren hinterlassen und die Gegend kahl geschliffen. Biegt man dann aber an einer der Kreuzungen nach rechts ab, empfängt den Reisenden schon bald das blühende Leben: in Novalja, einem modernen Ferienort mit flach abfallenden Stränden, Pizzerien und Hüpfburg.

Vor allem junge Leute steigen hier ab, um das „Ibiza Kroatiens" zu erleben, das sich in den vergangenen Jahren herauskristallisiert hat. So auch Marco und Gianluca aus dem italienischen Bologna. Mit ihren übergroßen Sonnenbrillen auf der Nase warten die beiden Studenten auf

Absolut angesagt am Strand von Zrće auf der Insel Pag: Party machen bis zum frühen Morgen.

Badestrand und sauberes Wasser lassen auf der Insel Pag die Mondlandschaft vergessen.

Reichlich kantig und schroff gibt sich Dugi otok, eine der Inseln vor Zadar, mit ihrer Steilküste.

Funsport am Strand von Zrće: per Jetski über das klare Meerwasser jagen.

Special

Pager Klöppelkunst

Filigrane Handarbeit

In den Hauseingängen der engen Altstadtgassen von Pag liegen oft filigrane Spitzendeckchen zum Verkauf aus. Meist sind sie von älteren Frauen gefertigt, die die hohe Kunst des Nähens noch beherrschen.

Mühsame Feinarbeit, viel Geduld und Erfahrung sind erforderlich, um die berühmten *Paške čipke* herzustellen. Je nach Größe und Form stecken schon mal 500 000 Nadelstiche und 500 Stunden Arbeit in einem einzigen Deckchen. Produziert wird das Unikat, wenn es aufwendiger ausfallen soll, nur gegen Vorkasse. Und dann werden leicht mehrere Tausend Euro fällig.

Die filigrane Handarbeit gilt seit ihren Anfängen im 15. Jahrhundert als Aushängeschild von Pag. Die Motive sind präzise geometrisch, sie werden oft ohne Vorlagen genäht und entspringen der spontanen Fantasie der Spitzennäherinnen. Es gibt heute etwa zwanzig bekannte Motive, die immer

Ohne Geduld geht hier gar nichts.

wiederkehren. Dazu gehört beispielsweise die *Mušica*, die kleine Fliege. Pager Spitzen wurden zu Beginn des vorigen Jahrhunderts auf internationalen Ausstellungen in Wien, London, Paris und New York preisgekrönt. Damals gab es auf der Insel sogar eine Spitzenmanufaktur und eine Schule, die junge Näherinnen ausbildete. Seit der Unabhängigkeit Kroatiens werden einjährige Klöppelkurse wieder mit staatlichen Mitteln gefördert.

den Shuttle-Bus, der sie in gerade einmal zehn Minuten Fahrtzeit an den Strand von Zrće bringen soll. Es ist kurz nach vier Uhr nachmittags. Die Sonne flirrt über dem Asphalt, und in der Disco Aquarius, eigentlich in Zagreb beheimatet, hat die After-Beach-Party bereits begonnen.

Marco landet sofort im Pool, während Gianluca noch abwartet, um sich in der Nähe von DJ und Vortänzerin zu positionieren. Gemeinsam mit der dicht gedrängten Partycrew wippt er im Rhythmus pochender House-Musik. Die meisten sind nur in Bikini oder Shorts zur Party gekommen, wohl ahnend, was sie hier erwartet: Die Portion Badeschaum, die ins Publikum gespritzt wird, reicht für eine Rutschpartie – bis zu den Knöcheln versinkt man darin, und der Barkeeper tut ein Übriges, indem er die laut aufkreischenden Tanzwütigen mit randvollen Wassereimern erfrischt.

Während die Sonne erst langsam versinkt, zieht sich die nasse und aufgekratzte Partycrew zum Chillen in die Hotels von Novalja zurück. Noch vor Mitternacht geht es in den legendären Klubs am Strand von Zrće weiter. Bis zum Sonnenaufgang.

Die Saison in Zrće ist kurz, sie dauert gerade mal von Juli bis August. Umso intensiver muss gefeiert werden, sagen sich zumindest Marco und Gianluca.

FILMKULISSE UND KAMPFGEBIET

Eine trügerische Idylle

*Das norddalmatinische Hinterland mit seinen mächtigen Felsen
diente einst als Kulisse für erfolgreiche Verfilmungen der
Karl-May-Romane um Winnetou. Heute gemahnt Minengefahr in entlegenen Gebieten
an ein ganz anderes, trauriges Kapitel des Landes.*

Auf der Fahrt ins norddalmatinische Hinterland zieht eine hügelige Karstlandschaft vorbei. Es ist ein weitläufiges Plateau mit staubiger brauner Erde, aus der im Hochsommer verdörrte Sträucher aufragen. Eine Idylle, fast wie aus einem Wildwestfilm.

Das müssen sich auch die Filmleute gedacht haben, als sie nach dem idealen Drehort für die geplanten Winnetou-Verfilmungen suchten. Statt auf die US-amerikanische Prärie, wo man den Wilden Westen ja eigentlich vermuten würde, fiel ihre Wahl auf das damalige sozialistische Jugoslawien als Drehort. Schnell wurden sich die deutsche Rialto-Filmgesellschaft und die Jadran-Filmstudios aus Zagreb einig, den legendären Apachenhäuptling Winnetou (Pierre Brice) und seinen Blutsbruder Old Shatterhand (Lex Barker) durch das adriatische Hinterland reiten zu lassen. Studioaufnahmen wurden in Paris, Hamburg und anderswo abgedreht.

Welterbe „Silbersee"

Prompt organisierte man für den „Schatz im Silbersee" mehr als 3000

Das Ethnodorf Marasovići diente in den 1960er-Jahren als Drehort bei den Winnetou-Verfilmungen des deutschen Filmproduzenten Horst Wendlandt. Auch für die drei neuen, vom TV-Sender RTL in Auftrag gegebenen 90-minütigen Winnetoufilme drehte man im Jahr 2015 u.a. in Kroatien.

Statisten und fast ebenso viele Pferde. Dabei wurde ein wenig improvisiert, und so verwandelten sich die Bewohner rund um die Plitwitzer Seen kurzerhand in Apachen.

Die Plitwitzer Seen boten alles, was man für einen „echten" Indianerfilm benötigte. So wurde eine kleine Höhle in einer Felswand, in der Schatzjäger Unterschlupf gefunden hatten, über Nacht als „Schatzhöhle" berühmt. Und den Kaluđerovac-See funktionierte man kurzerhand zum legendären „Silbersee" um.

Die Butlerfarm wurde nach Grobničko polje bei Rijeka ausgelagert, das Tramplager El Doro verlegte man ebenso wie die Westernstadt Tulsa kurzerhand in die Nähe des Motels Alan nahe der Paklenica-Schlucht bei Starigrad. Der Canyon Velika Paklenica erwies sich als wie geschaffen für eine malerische Wildwestkulisse. Prompt wurde er zum „Geistercanyon" umfunktioniert. Und die Zrmanja-Schlucht bei Obrenovac diente als eindrucksvolles Panorama für den Ritt zum Silbersee.

Im Folgejahr, 1963, war der Canyon dann in der Verfilmung „Winnetou I" als Rio Pecos und Apachen-Pueblo zu sehen. Überhaupt tauchten dieselben Drehorte immer wieder in den einzelnen Verfilmungen auf, meist unter anderem Namen.

Landschaft als Kulisse

Ab dem Jahr 1962 entstanden insge-

Oben: Auch der Zrmanja-Canyon im wild zerklüfteten Velebit-Gebirge war ein idealer Schauplatz für die Dreharbeiten.

Links: Harald Leipnitz als Bösewicht „Ölprinz" und Pierre Brice als „Winnetou, Häuptling der Apachen", in einer Szene der Karl-May-Verfilmung „Der Ölprinz".

samt 13 Winnetou-Filme, die zumindest teilweise auch in Jugoslawien gedreht wurden. Kroatien war dabei nicht die einzige Filmkulisse, auch in Montenegro ritten Winnetou und seine Stammesbrüder; die Innenaufnahmen der „Schatzhöhle" von den Plitwitzer Seen wurden in den Filmstudios der slowenischen Küstenstadt Piran gedreht.

Vom Krieg vereinnahmt

So wildromantisch die Gegend auf den ersten Blick wirken mag, wenn man auf den Spuren des Apachenhäuptlings unterwegs ist, so birgt sie

Die Plitzwitzer Seen boten alles, was man für einen „echten" Indianerfilm benötigte. Zuallererst: eine grandiose Natur.

Die wiederaufgebaute Maslenica-Brücke war im Krieg zwischen Serben und Kroaten zerstört worden.

doch auch ein schreckliches Erinnerungsmoment an die „blutigen Ostern" im Frühjahr 1991: Damals kamen nahe der Plitwitzer Seen bei einer Konfrontation zwischen kroatischen Sondereinsatzkräften und serbischen Aufständischen zwei Menschen ums Leben – ein Todesopfer auf jeder Seite. Daraufhin spitzten sich die ethnischen Spannungen zwischen Krajina-Serben und Kroaten in der Gegend so weit zu, dass sie schließlich in einen Krieg mündeten, der bis zum Jahr 1995 viel Blutvergießen forderte, mitten in Europa. In entlegenen Gegenden erinnern Minenwarnschilder noch an die Folgen des Krieges, und fernab der Touristenzentren, vor allem im dalmatinischen Hinterland, zeugen Einschusslöcher und Spuren von Granaten immer noch von den schrecklichen Ereignissen, die sich hier zugetragen haben.

Offene Wunden

Auch die Plitwitzer Seen waren während des Krieges bedroht – bis 1997 standen sie auf der Liste der gefährdeten Welterbestätten der UNESCO. Die meisten Serben, die vor dem Krieg in der Krajina lebten, haben anderswo noch einmal neu angefangen. Rückkehr und Annäherung verlaufen weiterhin recht zögerlich, die Wunden sind noch nicht verheilt. Vielleicht könnte der edle Häuptling Winnetou

Vorbild für eine Blutsbrüderschaft sein, die in dieser Gegend erst noch geschlossen werden muss.

Der Kult hält an

Doch sind die Winnetou-Filme und ihre Drehorte über den Krieg nicht vergessen. Der erste Film der Reihe – „Der Schatz im Silbersee" – brachte einen wahren Indianerkult ins Rollen, der entsprechend honoriert wurde. Im Jahr 1963 gab es den Bambi für den wirtschaftlich erfolgreichsten Karl-May-Film (3,5 Millionen DM Produktionskosten standen ein Einspielergebnis von 6,4 Millionen DM gegenüber), und im Folgejahr wurde dem Kassenschlager für drei Millionen Kinozuschauer die Goldene Leinwand verliehen. Auch wenn die Dreharbeiten fast ein halbes Jahrhundert zurückliegen, treffen sich in jedem Frühjahr Fans der Verfilmungen an den Originaldrehorten. Das Motel Alan in Starigrad, in dem das Filmteam untergebracht war, erinnert mit Fotos und Requisiten an seine Gäste. Und in der Nähe von Rakovica, unweit der Plitwitzer Seen, sorgen fast zwei Dutzend Zelte und eine Feuerstelle im Winnetou-Land für eine gehörige Portion Nostalgie.

Im Hintergrund das mächtige Paklenica-Gebirge: Die karge Landschaft bei Maslenica, perfekte Kulisse für Wildwestfilme, wurde im Krieg zum Kampfgebiet.

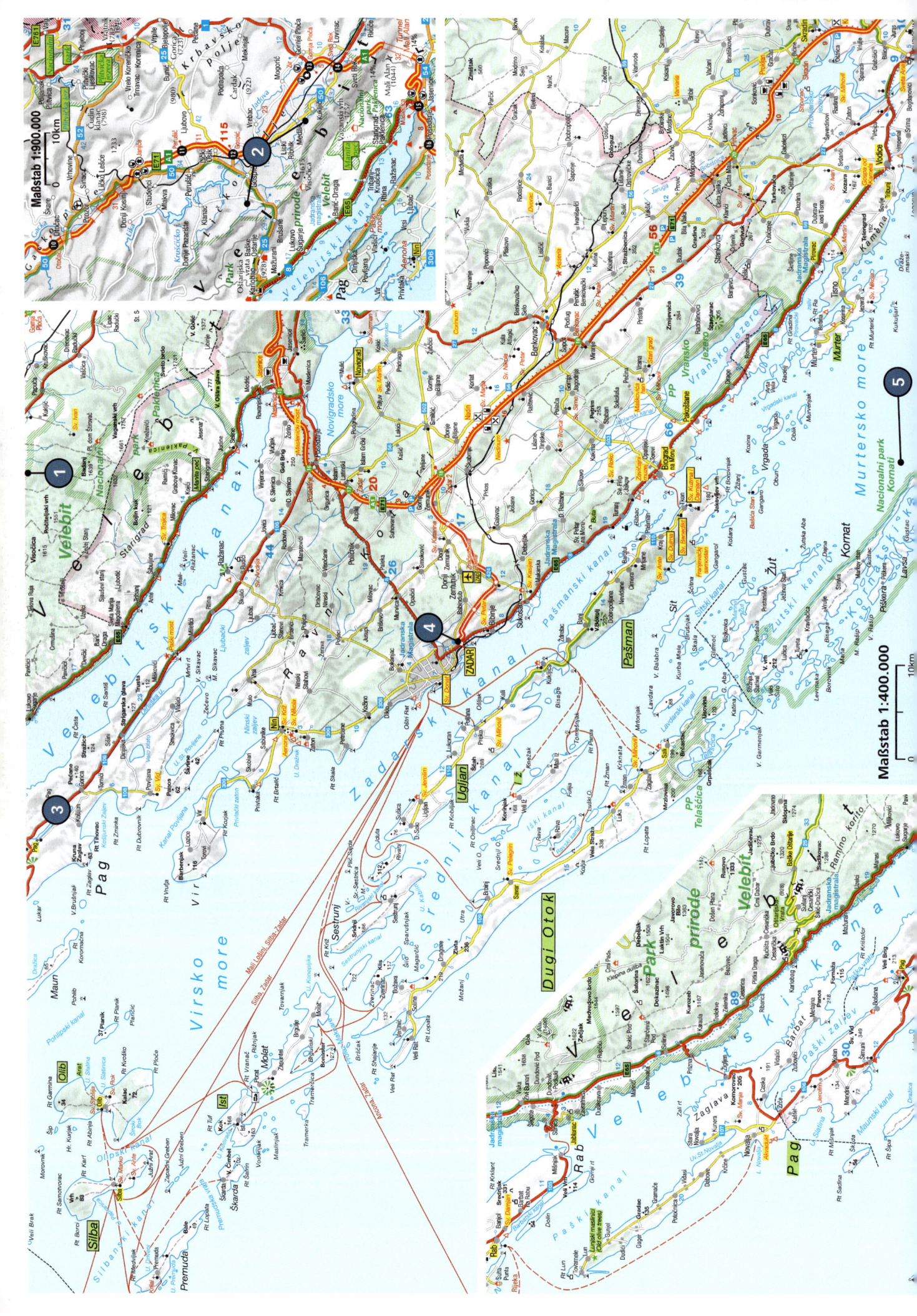

Spitzen, Segeln, Salz

Norddalmatien und das gebirgige Hinterland präsentieren sich vielschichtig. Wildromantische Karstschluchten wechseln sich im Velebit-Gebirge mit hohen Bergrücken ab, die Plitwitzer Seen und die Krka-Wasserfälle ergießen sich kaskadenförmig. Antike Städte wie Zadar laden zum Kulturbummel ein, das Inselparadies Kornaten zieht Segler und ein kleiner Strand auf Pag Partygänger an.

❶ Plitwitzer Seen

16 Seen, die über Wasserfälle ineinander übergehen: Der knapp 300 km² große **Nationalpark Plitwitzer Seen** TOPZIEL präsentiert sich im Herbst von seiner schönsten Seite. Im Sommer wird es so trubelig, dass die Eintrittskarten limitiert wurden (Verkauf nur online, vorab). Nicht verpassen sollte man den mit 78 m Höhe mächtigsten **Wasserfall Plitvički slap**. Vom Aussichtspunkt **Vidikovac**, nahe dem Eingang 1, öffnet sich ein schöner Ausblick auf die kaskadenförmige Seenlandschaft. Den Rundwanderweg kann man abkürzen und mit dem Boot oder mit Elektrozügen zu den beiden Ausgängen zurückkehren.

VERANSTALTUNG
Plitvički maraton (Anf. Juni;
www.plitvicki-maraton.com).

INFORMATION
Nacionalni park Plitvička jezera,
53231 Plitvička jezera, Tel. 0 53 / 75 10 15,
www.np-plitvicka-jezera.hr

*Oben: Radlerfreuden bei Kolan auf der Insel Pag.
Rechts: Wunder der Natur – die Wasserfälle
im Nationalpark Plitwitzer Seen verändern langsam, aber stetig ihr Aussehen.*

❷ Velebit-Gebirge

Im karstigen Hinterland erhebt sich das Velebit-Gebirgsmassiv, das südlich von Senj die Küste auf fast 150 km Länge begleitet. Auf dem Territorium befinden sich die beiden Nationalparks Sjeverni Velebit und Paklenica.

SEHENSWERT
Nationalpark Sjeverni Velebit: Der nördliche Abschnitt des Velebit-Gebirges, Sjeverni Velebit, erstreckt sich über 109 km² mit ungewöhnlichen Karstformationen und botanischem Garten. Mehr als 150 Höhlen wurden hier entdeckt. Zwei Canyons, die sich dramatisch in die Tiefe schneiden, bilden den Kern des **Nationalparks Paklenica**, der sich über 96 km² ausbreitet. Der Vaganjski vrh (1757 m) erhebt sich am Nordrand des Nationalparks und gilt als höchste Erhebung im Velebit-Gebirge.

AKTIVITÄTEN
Die Schlucht Velika Paklenica (Große Paklenica) hält zwischen ihren steilen Karstfelsen ver-

steckte **Tropfsteinhöhlen** wie die Manita Peć und einen einst geheimen Tito-Schutzbunker zum Erforschen bereit. **Kletter- und Wanderfreunde** haben 300 Routen für sich entdeckt. Für den kleinen Canyon Mala Paklenica sollte man viel Übung mitbringen. Beim Hotel Alan in Starigrad-Paklenica erzählt ein Winnetou-Museum von den Dreharbeiten.

INFORMATION
Nacionalni park Sjeverni Velebit,
Krasno 96, 53274 Krasno, Tel. 0 53 / 66 53 80,
www.np-sjeverni-velebit.hr;
Nacionalni park Paklenica, Dr. Franje Tuđmana 14 a, 23244 Starigrad-Paklenica,
Tel. 0 23 / 36 91 55, www.np-paklenica.hr

❸ Insel Pag

Der Fallwind Bora hat die spröde Landseite der 285 km² großen Insel (8400 Einwohner) blankgefegt. Die Meerseite ist grüner, mit Rebstö-

cken und Olivenhainen. Die **Autofähre** von Prizna (Festland) nach Žigljen (Pag) benötigt 20 Min., Personenfähren zwischen Rijeka und Novalja via Rab 2,5 Std.

SEHENSWERT
Die Gassen der Altstadt von **Pag**, der Inselhauptstadt, verlaufen in Rasterform und führen zur spätgotischen Pfarrkirche Sv. Marija am Hauptplatz (1443–1488). Eine kleine Steinbrücke in der Nähe führt zum Salzlager aus dem 17. Jh., das die Geschichte der Gewinnung des „weißen Goldes" auf Pag veranschaulicht (Juli, Aug. 10.00–13.00 u. 19.00–23.00 Uhr, Juni, Sept. kürzer). Der zweitgrößte Ferienort, **Novalja**, am nördlichen Inselende, lockt mit flachen Stränden. Dahinter erstreckt sich die schmale Halbinsel bis **Lun**, wo knorrige alte Olivenbäume wachsen.

MUSEEN
Das **Spitzenmuseum** (Galerija paške čipke) in Pag ist klein, aber fein (Juli, Aug. 10.00–12.30 u.

*Oben: Trutzig klein – die Wehrkirche von Nin.
Rechts: In der Rotunde der Sveti Donat in Zadar
wandern die Blicke über 27 Meter in die Höhe.*

20.00–22.00 Uhr, Juni, Sept. kürzer). Das **Stadt-museum** (Gradski muzej) von Novalja wurde über einem römischen Aquädukt aus dem 1. Jh. errichtet (Juni bis Sept. tgl. 9.00–13.00, 18.00–22.00 Uhr, So. nur abends; www.muzej. novalja.hr).

AKTIVITÄT

Der **Partystrand von Zrće** (2 km südl. von Novalja) wird seit Jahren mit der Blauen Flagge für sauberes Wasser ausgezeichnet.
Ein stilvolles, ruhiges Anwesen mit Agaven und Oliven ist der Traum vieler Feinschmecker: Im € € € **Restaurant Boškinac** gibt es regionale Spezialitäten wie Lammstrudel mit Rosmarin und Top-Weine (Novaljsko polje, www.boskinac.com).

INFORMATION

TGZ Pag, Ulica od špitala 2, 23250 Pag, Tel. 0 23 / 61 12 86, www.tzgpag.hr

④ Zadar

In Zadar (75 000 Einw.), wo Fähren zu vielen Inseln ablegen, bewegt sich etwas: künstlerische Installationen an der Uferpromenade, ein quirliges studentisches Flair – und das alles vor antiker Altstadtkulisse. Schon die Griechen hatten Zadar im 4. Jh. v. Chr. für sich entdeckt, dann kamen die Römer, bis Zadar im 7. Jh. Hauptstadt des byzantinischen Dalmatiens wurde und damit das zerstörte Salona ablöste. Später folgten u. a. Venezianer, Österreicher und nach dem Vertrag von Rapallo 1920 die Italiener, ehe Zadar nach dem Zweiten Weltkrieg Titos Jugoslawien zugeschlagen wurde. Im Kroatien-Krieg (1991–1995) war die Stadt 14 Monate lang unter Belagerung – heute legen im neuen Hafen Kreuzfahrtschiffe an.

SEHENSWERT

Die schmucke **Altstadt von Zadar** TOPZIEL breitet sich auf einer länglichen Halbinsel aus, von Stadtmauer und Uferpromenade gesäumt. Am Ende der Promenade laden die Bodeninstallation „Gruß an die Sonne" (Pozdrav suncu)

aus 300 kreisförmig angeordneten Solarzellen und die **Meeresorgeln** (s. Special S. 71), in denen Wind und Wellen harmonische Klänge erzeugen, zum Verweilen ein. Für Letztere wurde der Architekt Nikola Bašić mit dem „European Prize for Urban Public Space" ausgezeichnet.
Der **Hauptplatz Narodni trg** lockt mit Cafés, das erste entstand hier bereits im Jahr 1730. Die Römer zogen die Straßenzüge schnurgerade durch die Altstadt, bauten Tore und ein **Forum,** das die wichtigsten Sehenswürdigkeiten um sich herum gruppiert: Die byzantinische **Rundkirche Sv. Donat** (hl. Donatus) aus dem 9. Jh. mit ihren drei Apsiden gilt als Wahrzeichen der Stadt. Die **Domkirche Sv. Stošija** (hl. Anastasia) gegenüber ist der Schutzpatronin von Zadar geweiht. Das im 13. Jh. fertiggestellte romanische Gotteshaus hat einen frei stehenden Glockenturm, der Aufstieg lohnt sich. Südlich folgt die frühromanische **Kirche Sv. Marija** aus dem 11. Jh., östlich steht die **Benediktinerkirche Sv. Krševan** (hl. Chrysogonus; 12. Jh.). Die barocke **Kirche des Sv. Šimun** (hl. Simeon) südlich birgt dessen mit Gold und Silber prächtig verzierten Sarkophag. Nahe dem **Fünf-Brunnen-Platz** (Trg pet bunara) im Südosten der Altstadt gibt es ein verziertes **Landtor** (Kopnena vrata) und den Hafen Foša zu entdecken.

MUSEEN

Das **Museum des antiken Glases** (Muzej antičkog stakla) im sanierten Cosmacendi-Palais aus dem 19. Jh. präsentiert 2000 Exponate aus der Zeit vom 1. bis zum 5. Jh., die in der Region gefunden wurden (Poljana zemaljskog odbora 1; Sommer 9.00–21.00 Uhr, sonst kürzer; www.mas-zadar.hr). Die Dauerausstellung Zlato i srebro Zadra (Gold und Silber von Zadar) in der **Schatzkammer der Kirche Sv. Marija** zeigt wertvollen Sakralschmuck, Ikonen und Kruzifixe, deren Entstehung sich über ein Jahrtausend erstreckt (Sommer Mo.–Sa. 10.00–13.00, 17.00–19.00 Uhr; Winter kürzer; So. ganzj. nur vormitt.). Eine der besten archäologischen Sammlungen Kroatiens präsentiert das **Archäologische Museum** (Arheološki muzej)

auf drei Etagen mit prähistorischer Keramik, Waffen, Grabsteinen (Juli/Aug. 9.00–22.00 Uhr, sonst kürzer; www.amzd.hr).

VERANSTALTUNGEN

Der Lounge-Club The Garden organisiert im Juli das internationale Musik-Event **The Garden Festival** (www.thegardenfestival.eu) in Tisno (Insel Murter, 60 km südlich).
Die hervorragende Akustik der Rundkirche Sv. Donat macht die klassischen **Musikabende** zu einem audiophilen Ereignis (Juli/Aug.; www.donat-festival.com).

HOTEL/RESTAURANT

Das Mauerwerk des angrenzenden Kastells wird im € € € € **Hotel Bastion** mit Design kombiniert. Im **Restaurant** kommt Slow Food auf den Tisch, der Besitzer hat einen eigenen Stand auf dem Fischmarkt (Bedemi zadarskih pobuna 13, Tel. 0 23 / 49 49 50, www.hotel-bastion.hr).

UMGEBUNG

Das verschlafen wirkende Städtchen **Nin** (rund 17 km nördl.), das auf einer Insel mit zwei Festlandbrücken thront, ist stolz auf die kleinste Kathedrale der Welt, Sv. Križ (hl. Kreuz; 9. Jh.). Ein wenig außerhalb erhebt sich die Wehrkirche des Sv. Nikola (hl. Nikolaus; 11. Jh.) auf einem Hügel. Im Muzej ninskih starina, dem Museum antiker Funde, wird eine Kopie des sechseckigen Taufbeckens von Fürst Višeslav aus dem 9. Jh. aufbewahrt, mit dem fränkische Missionare damals die slawischen Fürsten tauften (Sommer Mo.–Sa. 9.00–22.00 Uhr, sonst kürzer). Die Salinen von Nin können besichtigt werden (Führungen tgl. 8.00–12.00 zur vollen Std., 16,30, 17.30, 18.30 Uhr; www.solananin.hr). Die Sandstrände um Nin schätzen auch Wind- und Kitesurfern. Kroatiens größter See, **Vransko jezero** (28 km südl.), breitet sein Wasser auf einer Fläche von 30 km² aus. Der naturge-

Tipp

Bitte langsam ...

Zwar wird die kroatische Sprache mit dem lateinischen Alphabet geschrieben (ergänzt um die Buchstaben Ć, Đ, die Digraphen Dž, Lj und Nj sowie die mit Hatschek versehenen Buchstaben Č, Š und Ž), aber einfach zu lernen ist sie mit ihren komplett vokallosen Wörtern wie Rt für Kap und gleich sieben grammatischen Fällen nicht gerade. Dennoch lohnt es sich, sich zumindest ein paar Standardsätze zu lernen, um das Land und seine Leute besser zu verstehen. Empfehlenswerte Sprachkurse für Ausländer bietet zum Beispiel **Lingua Croatica** in Zadar an.

INFORMATION

www.lin-cro.hr

schützte See, eine ehemalige Karst-Doline, ist trotz Meeresnähe mit Süßwasser gefüllt. **Inseln vor Zadar:** Die autofreie Insel **Silba** (250 Einw.), nur 8 km lang, hat schöne Kiesbuchten. **Ugljan** (7500 Einw.) wartet an der flachen Ostküste mit verträumten kleinen Buchten auf. Eine Brücke führt hinüber auf die Insel **Pašman** (2800 Einw.) mit zwei Klöstern aus dem 14. Jh. Als größtes Eiland im Archipel von Zadar gilt **Dugi otok** (1800 Einw.), mit mehr als 50 km buchstäblich eine „Lange Insel". Der malerische Fischerort Božava im Norden gilt als Tauchertreffpunkt. Der Naturpark Telašćica (26 km²) im Süden beeindruckt mit steil abfallenden Felswänden und einem Salzsee, der unterirdisch von der Adria gespeist wird.

INFORMATION
TIC, Jurja Barakovića 5, 23000 Zadar, Tel. 0 23 / 31 61 66, www.zadar.travel

Tipp

Leckere Mitbringsel

Das Meersalz von Pag (Paška sol) steht, grobkörnig oder fein gemahlen, heute in fast jedem kroatischen Supermarktregal und kostet nur wenige Kuna. Das Salz der bedeutendsten kroatischen Saline ist jedoch nicht nur Kochzutat: Es reichert die Luft auf der Insel an und verleiht den wilden Kräutern von Pag ein ganz besonderes Aroma. Die auf Pag weidenden Schafe, die sich von Salbei und anderen Kräutern ernähren, spenden entsprechend würzige Milch, die für den berühmten Pager Käse, Paški sir, verwendet wird. Die runden Laibe müssen bis zu sechs Monate reifen und sind ein Hochgenuss!

❺ Nationalpark Kornaten

Das einzigartig verträumte Seglerparadies erstreckt sich über 147 winzige, verkarstete Inseln und Riffe. Davon zählen 89 zum bereits im Jahr 1980 gegründeten, rund 220 km² großen **Nationalpark Kornaten** (Nacionalni park Kornati) TOPZIEL. Im Sommer locken hier etwa 20 gemütliche, landestypische Konobas, viele davon sind nur mit dem eigenen Boot erreichbar. Man kann allerdings auch einen Tagesausflug buchen, unter anderem ab Zadar, Vodice oder Dugi otok.

INFORMATION
Nacionalni park Kornati, Butina 2, 22243 Murter, Tel. 0 22 / 43 57 40, www.np-kornati.hr

Genießen   Erleben   Erfahren

Auf dem Grünmarkt

DuMont Aktiv

In der Morgenstille, wenn die Stadt noch schläft, geht es auf dem Grünmarkt von Zadar bereits lebhaft zu. Händler bieten verlockend ausgelegte Ware feil. Obst und Gemüse sind frisch gepflückt, denn das meiste stammt aus dem Umland und von den Inseln vor der sonnenverwöhnten Küstenstadt. Jagdgrüne Sonnenschirme breiten ihr Stoffzelt über hölzerne Klapptische, um Pfirsichbergen und Trauben Schatten zu spenden. Eine Hand streckt dem potenziellen Käufer ein tiefrotes Stück Melone entgegen. Probieren ist hier in Zadar, auf einem der schönsten Märkte Dalmatiens, durchaus erlaubt. Und meist erliegt man der Verlockung. So wie beim hausgemachten Walnusslikör, Orahovac, der in Probiergläschen rinnt.

Süße Früchte kiloweise: Nur wenige Schritte weiter präsentiert sich ein halbierter Käselaib von der Insel Pag in sattem Goldgelb. Und der Anblick der frischen grünen Feigen versetzt den Besucher ins Schwärmen: Die süßen Früchte türmen sich zu einem stattlichen Berg auf.

Die Stadtmauer am Markt geleitet den Besucher in die nahe gelegene Fischhalle: Doraden und Sardinen präsentieren sich hier auf Eis, um in ein paar Stunden noch genauso frisch zu schimmern. Falls sie überhaupt so lange ausliegen, denn von Stunde zu Stunde nimmt das Angebot ab. Ein Grund, gleich früh morgens, nach einem starken Kaffee, über den Markt von Zadar zu schlendern. Denn dann versetzt noch die ganze üppige Vielfalt in Probierlaune: An fast jedem Stand möchte man zugreifen, schmecken, riechen und versuchen. Ein kleines Fest für die Sinne.

Weitere Informationen

Tržnica (Markt), Ulica pod bedemom bb, 23000 Zadar; tgl. 6.00–13.00 Uhr

Auf den Bauernmärkten in Kroatien lassen sich auch problemlos Erinnerungen für zu Hause entdecken. Beliebt sind selbst gemachte Liköre mit Kräutern, selbst gebrannter Schnaps, Käse oder auch feines Olivenöl.

Reif für die Inselwelt

Palmen begrüßen Fluggäste in Split, dem Tor zum mitteldalmatinischen Inselparadies. Manchmal bleibt noch Zeit für einen kurzen Stadtbummel, doch meist finden sich die Urlauber rasch auf den Fähren nach Hvar oder Brač wieder. Dabei lädt die Hafenstadt zum Verweilen ein. Das merkt man oft erst beim Espresso an der Riva, dem Catwalk dalmatinischer Schönheiten.

Vom Strand aus fällt der Blick auf die malerisch gelegene Altstadt von Primošten, das über einen Damm mit dem Festland verbunden ist.

Der „Marmor" von Brač kennzeichnet manchen kroatischen Bau wie hier das Mausoleum in Supetar (oben links). Löwen wachen am Portal der Kathedrale von Trogir (unten rechts). Den Aufstieg auf ihren Glockenturm belohnt eine schöne Aussicht über Stadt und Hafen (unten links und oben rechts).

Der Stellenwert, den der weiße „Marmor" von Brač für die Einwohner hat, lässt sich schon an den Begrifflichkeiten ablesen: Sie „pflücken" ihn, statt ihn zu fördern oder gar abzutragen. Doch bei dem Stein handelt es sich nicht wirklich um Marmor, sondern um sehr weißen Kalksandstein, der sich durch Bodenerosion gebildet hat. In Küstennähe entstanden Steinbrüche, von denen aus bereits Sklaven der Römer große Blöcke auf Schiffe verluden. Einige Blöcke schafften es sogar bis nach Über-

Sogar beim Bau des Weißen Hauses in Washington wurde der weiße Kalksandstein von Brač verwendet.

see, wo sie beim Bau des Weißen Hauses in Washington eingesetzt wurden. Nicht minder geschichtsträchtig wurden sie für das Gebäude des Reichtags in Berlin verwendet.

Schon Kaiser Diokletian schätzte den „Marmor" aus Brač und ließ seinen berühmten Altersruhesitz in Split, den Diokletian-Palast, daraus formen. Auch in der Kathedrale von Šibenik und in der Altstadt von Trogir findet sich der weiße Stein von Brač verewigt.

Gepflegt wird die Tradition des Kalksteins nach wie vor: In Pučišća, im Nordwesten der Insel, treffen sich Steinmetze in Sommerkursen, um die massiven Blöcke zu verarbeiten.

Vielfältige Natur

Auf der gegenüberliegenden Seite des Eilands, in der Nähe des Fischerdörfchens Bol, lockt unterdessen ein Bilderbuchstrand die Besucher: das Goldene Horn, Zlatni rat, eine Landzunge aus Sand und feinem Kiesel. Die schmale Peninsula, mit ihrer Sichelform ein beliebtes Postkartenmotiv, ist durch Wind

Das auf dem winzigen Inselchen Visovac gelegene Franziskanerkloster im Nationalpark Krka
ist nur per Boot zu erreichen.

Die malerische Strandzunge des Goldenen Horns
im Süden der Insel Brač passt ihre Form den Launen
von Wind und Wellen an.

In mehreren Stufen ergießen sich die Wasserfälle im knapp 110 km² großen, den rund 45 km langen Flussabschnitt der Krka zwischen Knin und Skradin sowie den Unterlauf des Nebenflusses Čikola umfassenden Nationalpark Krka.

und Wellen ständig in Bewegung, wenn auch nur minimal.

Liebhaber von Natur und Kultur verharren vielleicht lieber noch etwas auf dem Festland, ehe sie sich auf die nächste Inseltour begeben. Denn sieben Wasserfälle im Nationalpark Krka und das Franziskanerkloster auf seiner winzigen Insel üben eine große Anziehungskraft aus. Zumal im Kloster auch noch Bibliophile auf ihre Kosten kommen, angesichts der großen Sammlung wertvoller Bücher.

Hotspot für Trendsetter

Schließlich aber legt man wieder ab und setzt auf die nicht minder faszinierende Insel Hvar über. Zumindest die Inselhauptstadt Hvar hat sich einen recht elitären Tourismus auf die Fahnen geschrieben. In der Hauptsaison klettern hier die Hotelpreise rasant in die Höhe. Doch das scheint es wert zu sein, mag man spätestens nach dem ersten Sonnenuntergang auf der Trauminsel denken. Dann möchte man einem US-Magazin gern Glauben schenken, das Hvar zu einer der „zehn schönsten Inseln weltweit" gekürt hat.

Der Feuerball lässt sich am besten beim Chill-out in der Hula-Bar außerhalb der Altstadt beobachten, in der Szenegänger schon frühzeitig die gemütlichen weißen Lounge-Liegen besetzen.

Die Nacht zum Tage machen

Wenn die Sonne schließlich tiefrot ins Meer eintaucht, beginnt auch bald der Tag, pardon, die Nacht auf Hvar. Im fast schon legendären Lounge-Klub „Carpe diem" werden Cocktails im Rekordtempo geschüttelt und mit Blick auf die Jachtpromenade serviert. Kaum anderswo in Kroatien drängen sich wohl so viel Kapital und Schönheit auf so engem Raum. Im VIP-Bereich wurden schon George Clooney und Paris Hilton gesichtet. Gerne verlässt die Partyszene jedoch auch das alte Hvar und drängt sich in schaukelnde Taxiboote, um auf den Inselstrand von Stipanska überzusetzen. Dort feiert man tanzend und flirtend den

Stari Grad mit seinem schönem Hafen und den bunten
Häusern liegt an der Nordwestküste der Insel Hvar.

Die Altstadt von Hvar-Stadt breitet sich mit ihrem
Festungshügel über dem Hafen aus.

Abendliches Leben auf dem Hauptplatz der Stadt Hvar
mit der Kathedrale Sv. Stjepan.

Schließlich legt man ab und setzt auf
die faszinierende Insel Hvar über.

Oben: Einblick in die Baugeschichte gewährt der Trg Republike Hrvatske in Šibenik: Die Jakobskathedrale vereint in sich Bauelemente der Gotik und der Renaissance, die Arkaden weisen die Stadtloggia gegenüber als Renaissance-Bauwerk aus.

Links: Fischer mit ihren Netzen und Booten prägen nicht nur wie hier in Stari Grad auf Hvar, sondern auch auf anderen kroatischen Inseln so manches Ortsbild.

Mit sieben Meisterschaften und fünf Pokalsiegen ist der im Jahr 1911 gegründete HNK Hajduk Split nach Dinamo Zagreb der erfolgreichste kroatische Fußballverein. Da hüllt man sich – wie hier auf der Insel Vis – doch gerne in ein mit dem Vereinsemblem besticktes Tuch.

Special

Kathedrale von Šibenik

Fratze oder Porträt?

Männer mit offenen Mündern, Frauen mit aufgerissenen Augen und dazwischen versteckt zwei Löwen: Der dalmatinische Bildhauer und Architekt Juraj Dalmatinac (1410 bis 1475) hat 73 Köpfe von Bürgern wie ein Schmuckband außen an der Kathedrale von Šibenik angebracht.

Mit der Errichtung des Gotteshauses, das dem heiligen Jakob (Sv. Jakov) geweiht ist, wurde im Jahr 1431 begonnen. Feuer und Krankheit führten dazu, dass die dreischiffige Basilika erst über hundert Jahre später, 1535, fertiggestellt werden konnte.

Eine Besonderheit ist das Gewölbe der Kirche: Es wurde freitragend aus miteinander verzapften Steinplatten konstruiert und misst an der höchsten Stelle der Kuppel 32 Meter – eine Meisterleistung!

Heute erinnert eine Skulptur vor der Kathedrale, die der Bildhauer Ivan Mestrović geschaffen hat, an den Baumeister Juraj Dalmatinac, dessen

In Stein verewigt: Bürger von Šibenik

Arbeit nach seinem Tod u.a. von Nikola Firentinac fortgeführt wurde. Die Kathedrale selbst fand Eingang in die Welterbeliste der UNESCO.

Und was hat es nun mit den 73 Köpfen auf sich?

Der Legende nach soll es sich dabei um die Darstellung durchaus ehrenwerter Mitglieder der Šibeniker Bürgerschaft handeln – die allerdings zu geizig waren, um sich am Bau der Kathedrale zu beteiligen …

Halb- oder Vollmond, bis das Gestirn wieder von der Sonne verdrängt wird.

Das Hvar der Renaissance

Nur ein einziges Mal in seinem Leben soll Petar Hektorović (1487–1572) seine Heimatinsel Hvar verlassen haben. Damals gesellte er sich für wenige Tage zu den Fischern auf ihre Boote. Der Ausflug des kroatischen Renaissance-Dichters und Universalgelehrten scheint sehr inspirierend gewesen zu sein, denn im Anschluss daran verfasste Hektorović sein originellstes Werk, das im Jahr 1568 erschienene epische Gedicht „Fischfang und Fischergespräche". Die Heldenlieder des Poeten stehen bis heute auf dem Lehrplan kroatischer Schulen.

Hektorović hat im Ort Stari Grad, was so viel wie „Alte Stadt" bedeutet, seine Spuren hinterlassen. Im vormals antiken Pharos, das 384 v. Chr. von den Griechen begründet worden war, erhebt sich sein Landsitz (die Burg Tvrdalj) samt dazugehörigem Fischweiher und einer Gartenanlage. Zudem trägt die winzige Festung Inschriften auf Lateinisch, Kroatisch und Italienisch, die im moralisch-belehrenden Ton des Humanismus gehalten sind. Ein Zyklus davon ist dem Allmächtigen gewidmet, während ein anderer darauf hinweist, dass Hektorović diese Sommerresidenz für sich und seine Freunde

In der zweitgrößten Stadt Kroatiens macht's die Mischung: Split hat Platz
für eine schmucke Uferpromenade, die palmengesäumte Riva, …

… für gewaltige Baudenkmäler wie den gut erhaltenen Diokletian-
Palast, der die Altstadt prägt, und …

... für eine ausgeprägte Restaurantszene in den Altstadtgassen, in der man gemütliche Abende in angenehmer Atmosphäre verbringen kann.

Das heutige Split, die (inoffizielle) „Hauptstadt Dalmatiens", entwickelte sich über den Ruinen des monumentalen Altersruhesitzes für den Kaiser Diokletian.

geschaffen habe. Nicht nur die Burg Tvrdalj selbst, auch die Altstadt sowie die fruchtbare Ebene, die östlich davon liegt und seit der Antike landwirtschaftlich bestellt wurde, gehören seit dem Jahr 2008 zum UNESCO-Welterbe.

Insel der Rebstöcke

„Vis ist eine Insel, für die der Rebstock und der Wein Vergangenheit und Zukunft sind, das Schicksal schlechthin", heißt es unter den Winzern, von denen die reiche rote Erde auf der Insel bestellt wird. Wer mit dem Boot in der Inselhauptstadt Vis anlegt, die als griechische Kolonie Issa im 4. Jahrhundert v. Chr. gegründet wurde, sieht zunächst einmal nichts von einer Weinkultur; allenfalls hier und da ein Verkaufsschild für Hauswein. Die Reblandschaft versteckt sich im Landesinneren, in den fruchtbaren Talsenken. Kaum einer der Winzer bestellt allerdings mehr als ein oder zwei Hektar, auf denen die Rebstöcke für den kräftigen roten Plavac oder die für Vis typische goldgelbe Vugava wachsen. In der örtlichen Kelterei von Komiža, am anderen Inselende gelegen, werden indessen auch Plavac-Reben von der winzigen Nachbarinsel Biševo verarbeitet.

Der traditionell hohe Stellenwert des Weins zeigt sich in antiken Funden: Amphoren, Steininschriften und nicht zuletzt Rebstöcke, die auf alte Münzen geprägt wurden.

Diokletians Heimat

Mauerreste eines alten Amphitheaters, Forums und Tempels sind stumme Zeugen der einstigen Größe von Salona. Die antike Ruinenstadt, das heutige Solin bei Split, galt unter Julius Caesar im ersten vorchristlichen Jahrhundert als bedeutendes wirtschaftliches und politisches Zentrum. Von hier aus wurde die Provinz Illyricum, später Dalmatia, verwaltet. Die Stadt war in illyrischer, griechischer und römischer Hand, bis die Slawen und Awaren im 7. Jahrhundert anrückten und sie zerstörten. Salona verlor an Macht, dafür erstarkte das benachbarte Split.

Auch wenn inzwischen viel Zeit ins Land gegangen ist, erinnern sich die Bewohner von Split bis heute täglich an den wohl bekanntesten Sohn von Solin: Kaiser Diokletian (reg. 284–305) wurde hier geboren. Mit seinem Namen ist eine Neuordnung des Römischen Reiches, aber auch die Christenverfolgung verbunden. Während seiner Regentschaft ließ er sich einen weitläufigen Palast als künftigen Alterssitz bauen. In nur zehn Jahren Bauzeit (295–305) entstand nach ihm benannte Palast, bei dem es sich gewissermaßen um eine bewohnte Festung handelte, in unmittelbarer Nähe

Das Denkmal für Touristen an der Uferpromenade von Makarska erinnert an jene, die der Stadt zu Wohlstand verhalfen.

Die Riviera von Makarska begleiten schroffe Felsen des Biokovo-Gebirges.

Steil ragen die Felswände hinter dem Hafen von Omiš auf, wo die Cetina ins Meer mündet.

Mancher Ort an der dalmatinischen Küste ist venezianisch geprägt. Dazu gehört auch Komiža auf der Insel Vis.

zur heutigen Uferpromenade Riva. Der gesamte Palastkomplex erstreckte sich über eine Fläche von 30 000 Quadratmetern. Er war durch Mauerwerk mit Wehrtürmen abgeschottet und bestand aus städtischen, sakralen und militärischen Bauten. Das Anwesen war durch eine Längs- und eine Querstraße gegliedert. Das einstige Peristyl, einen rechteckigen Hof mit Arkadengängen, bevölkern heute Touristen. Wann trinkt man seinen Espresso schon in einem so beeindruckenden Ambiente? Die UNESCO setzte das historische Zentrum von Split auf die Liste des geschützten Weltkulturerbes.

Wo kalkweiße Gipfel die Wolken berühren

Dramatischer könnte die Kulisse kaum sein: weiße, zerklüftete Felsspitzen, die von Wolken umtänzelt werden, und steile Berghänge, die sich bis ins Meer hinunterziehen. Das die Adria entlang der Makarska-Riviera begleitende Biokovo-Gebirge bietet ein faszinierendes Panorama. Die schroffen, hellen Felswände des Naturparks im Rücken und das im Licht leicht züngelnde Meer vor den Füßen, so lässt es sich an den Stränden von Brela, Baška Voda und Makarska gut aushalten. Wem allein der Anblick der

Felskulisse nicht genügt, der kann sich auch auf den Sveti Jure aufmachen, mit 1762 Metern Höhe der höchste Berg im Biokovo-Gebirge. Der Weg schlängelt sich durch kleine Dörfer und an einem wildromantischen botanischen Garten mit Kräutern vorbei, und mit jedem Höhenmeter wird der Ausblick auf die Küste und das blaue Meer aufregender. So ist eines absolut sicher: Das Herz pocht hier oben nicht bloß von der körperlichen Anstrengung schneller!

Dramatischer könnte die Kulisse kaum sein.

Die Liebe zum Meer und zur Heimat

Manchmal, wenn es in den abendlichen Gassen von Šibenik, Omiš oder anderswo in Dalmatien sehr still ist, kann man sie durch die ganze Stadt hindurch hören: die traditionellen dalmatinischen Männerchöre, die ihre Liebe zum Meer und zur Heimat a cappella kundtun. Zuweilen erinnern die vierstimmigen Melodien an gregorianische Gesänge.

Die Tradition solcher Gesangsgruppen (Klape) in Kroatien ist lang, sie begann

bereits vor einem Jahrtausend in den glagolitischen Bruderschaften. Im Mittelalter bewegten die Melodien dann auch die weltliche Bevölkerung außerhalb der Klostermauern. Einen Aufschwung erlebten sie im 19. Jahrhundert, als ein verstärktes Nationalbewusstsein die Kroaten ereilte. Damals wurden die ursprünglich sakralen Texte mit heimatverbundenen Motiven angereichert.

Inzwischen haben sich die alten Traditionen ein wenig gelockert. So gibt es auch Gesangsgruppen für Frauen und Kinder (früher waren diese Gesangsgruppen Männern vorbehalten). Zuweilen wird die Musik von Mandolinen, dem Lauteninstrument Tamburizza oder den traditionellen einsaitigen Gusle begleitet. Die romantischen Melodien vereinen sich einmal jährlich im Klapa-Festival in Omiš. Dann geben die bekanntesten Gesangsgruppen alles zum besten, was sie im Hinblick auf Liebe, Meer und dalmatinische Heimat im Repertoire haben.

ETNOLAND DALMATI

Trockene Steinmauern statt Nasswetter

Der in Deutschland aufgewachsene Joško Lokas setzt mit einem dalmatinischen Themenpark auf nachhaltigen Tourismus, der alte Traditionen fördert – und manchen als beispielhaft gilt.

Von der schmalen Landstraße in Richtung Pakovo Selo, zehn Fahrminuten vom Nationalpark Krka entfernt, zweigt ein weitläufiger Schotterparkplatz ab. Holztafeln weisen Besuchern den Weg zum „Etnoland Dalmati". Joško Lokas, der Hausherr des Themenparks, begrüßt die Besucher mit frischen Feigen, Mandeln und selbst gebrannter Rakija. Seine Frau Ana, die trotz drückender Mittagshitze eine bodenlange Tracht trägt, macht sich sogleich an die Führung durch das Anwesen.

Wie anno dazumal

Hier taucht der Besucher in eine Welt ein, wie sie über Jahrhunderte im kargen Hinterland der Küste gelebt wurde. An typisch dalmatinischen Steinhäusern, traditionell ohne Mörtel gebaut, spenden smaragdgrüne Holzläden Schutz vor der Sonne. Im Inneren ist es kühl. Lebensgroße Bauernpaare aus Kunststoff präsentieren den Inhalt wertvoller Holzkommoden: selbst genähte weiße Leintücher. Im nächsten Steinhaus, der Konoba, spendet ein alter Weinkeller Erfrischung. Probieren aus den Fässern ist erlaubt.

In einem kleinen Ausstellungsraum, der auf dem Anwesen entstanden ist, fühlt sich der Besucher fast wie in einem Feinkostladen: Im Schinkenmuseum baumelt luftgetrockneter Pršut von der Decke. Vor dem Gebäude grast neben einem Brunnen

Damit das Ethnodorf noch authentischer wird, singen manchmal dalmatinische Männerchöre, zu denen sich ab und zu auch ein Vorsinger gesellt.

ein Esel, der prompt nach Anas Kleid schnappen will.

Wider das Vergessen: Traditionen bewahren

Die Idee zu diesem Projekt hatte Joško Lokas, der in Dortmund aufgewachsen ist, als er aus seinem Hamburger Bürofenster schaute: Die Stadt lag unter einem grauen Himmel, und er dachte wehmütig an die dalmatinische Heimat seiner Mutter, das Hinterland der Küste, wo das Leben beschaulicher abläuft – und vor allem sonniger. Kurzerhand entwarf der Deutschkroate ein Unternehmenskonzept, engagierte eine Beratungsfirma und machte sich an die Umsetzung seiner Pläne. Bis zu siebzig Saisonkräfte beschäftigt er heute auf seinem Anwesen, darunter Schmiede und Steinmetze – damit die traditionellen Berufe der Region nicht in Vergessenheit geraten.

Auf einen Blick

Individualreisende können Audio-Touren mit Schinken und Weinverkostung sowie Einführung in die Kunst der Peka-Schmorglocke (1,5 Std.) buchen. Gruppen bekommen darüber hinaus eine Willkommenszeremonie, interaktive Besichtigung und ein Peka-Abendessen geboten (1,5-3 Std.). Voranmeldung erforderlich.
Etnoland Dalmati, Oštarija 9, 22320 Pakovo Selo, Drniš, Tel. mobil 099/2 20 02 00, www.dalmati.com

Auch Esel dürfen nicht fehlen im Etnoland Dalmati.

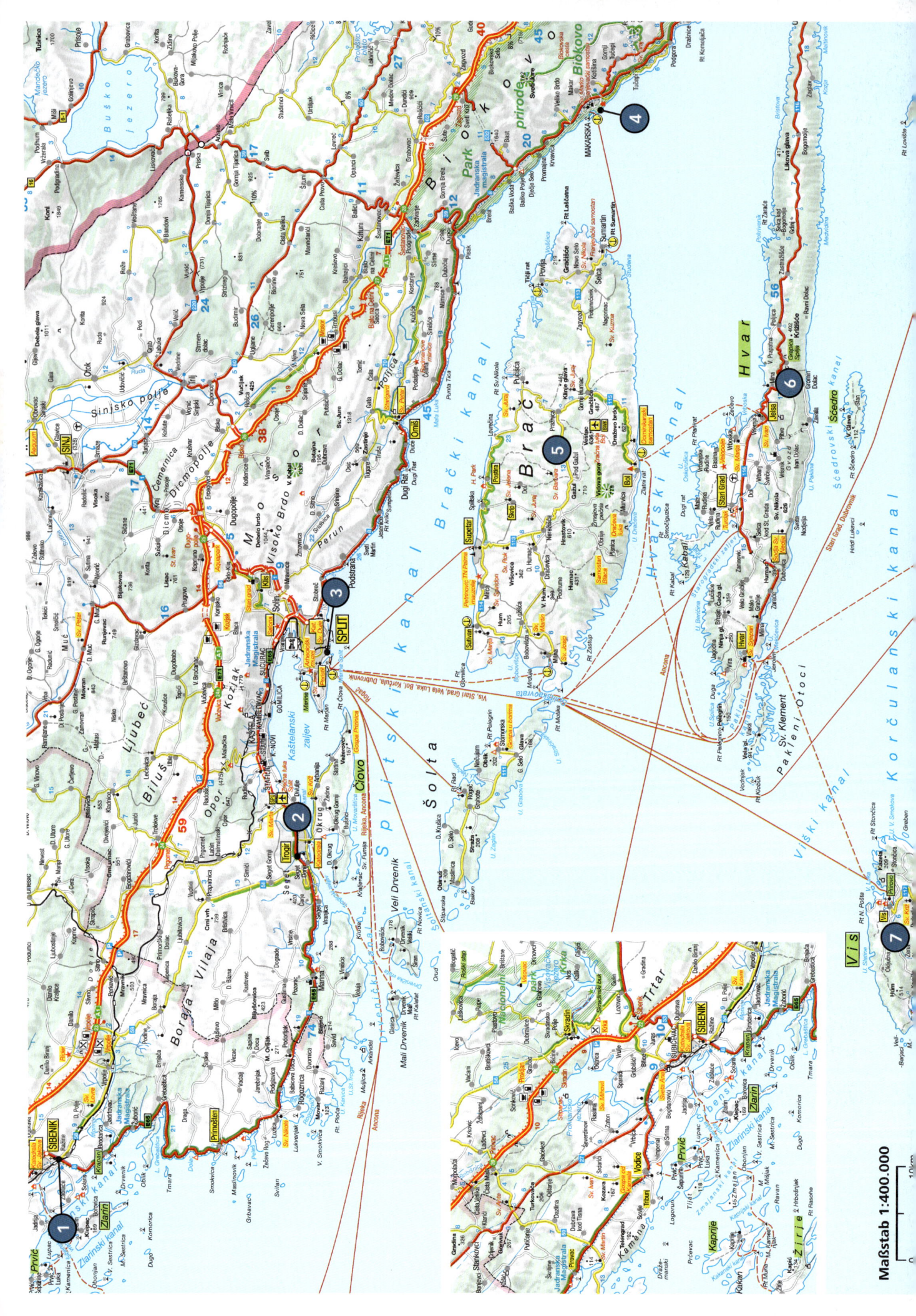

Maßstab 1:400.000

Espresso mit Inselblick

Das antike Split ist die größte Stadt an der kroatischen Küste und ein Sprungbrett auf Badeinseln wie Hvar, Brač oder Vis. Trogir erinnert im Kern an ein Freilichtmuseum, und das Industriestädtchen Šibenik wird gleich von mehreren Festungen vor Angreifern behütet. Die Riviera von Makarska charakterisiert der Biokovo-Gebirgsrücken.

① Šibenik

Im historischen Kern der Stadt (46 000 Einw.) ist der venezianische Einfluss unverkennbar.

SEHENSWERT/MUSEUM

Šibenik wird gleich von vier Festungen bewacht: Zwei davon wurden bereits hübsch restauriert und werden für Open-Air-Konzerte mit tollem Ausblick genutzt! Der Aufstieg auf die Anlage **Sveti Mihovil** (hl. Michael), gut ein Jahrtausend alt, führt durch enge Altstadtgassen (Sommer tgl. 8.00–22.00 Uhr, sonst kürzer). Die östlich davon gelegene **Festung Subiče-vac** (auch Barone genannt) sollte einst die Osmanen abwehren; bei der Besichtigung gibt's Leih-Computertablets (Sommer tgl. 9.00 bis 22.00 Uhr, sonst kürzer). Oberhalb der Stadt wird die Ruine **Sveti Ivan** (hl. Johannes, 115 m ü.d.M.) mit EU-Geldern umgebaut. An der engen Kanaleinfahrt vor Šibenik erhebt sich die Festungsruine **Sv. Nikola** (hl. Nikolaus) im Meer (freier Zugang über einen Bretterpfad). Ganz in der Nähe, am Kanal Sveti Ante, wurde ein altes Militärgelände mit Promenaden- und Radwegen ausgebaut – der Blick auf die gegenüberliegende Altstadt lohnt sich! Eine breite Treppe Eine breite Treppe führt von der mit Cafés gesäumten Uferpromenade **Riva** zum Hauptplatz **Trg Republike Hrvatske** und der **Kathedrale Sv. Jakov** (hl. Jakob, UNESCO-Welterbe). Gegenüber erhebt sich die **Renaissance-Stadtloggia** (Gradska loža). Südlich

Oben: Kathedrale Sv. Jakov in Šibenik. Rechts oben: Kathedrale Sv. Lovro in Trogir. Darunter: Wer die linke große Zehe der Bronzestatue des Bischofs Gregor von Nin in Split berührt, wird in die Stadt zurückkehren, heißt es.

schließt der **Bischofspalast** (Biskupska palača) an die Kathedrale an. Im östlich gelegenen gotischen **Franziskanerkloster Sv. Frane** wird das älteste kroatische Schriftstück in lateinischer Sprache aufbewahrt: Šibenska molitva, das Gebet von Šibenik (14. Jh.).

MUSEUM

Im Rektorenpalast (Knežev dvor) hinter der Kathedrale ist das **Stadtmuseum** (Muzej grada Šibenika) untergebracht (Sommer 10.00–13.00, 18.00–22.00 Uhr; www.muzej-sibenik.hr).

AKTIVITÄTEN

Von der Šibeniker Bücke (Šibenski most) ist im Juli/Aug. **Bungee-Jumping** angesagt. Weniger Mut verlangt die **Bootsfahrt** im Nationalpark Krka (www.np-krka.hr).

VERANSTALTUNG

Beim **Kinderfestival** Ende Juni/Anfang Juli wird der Nachwuchs mit Puppenspiel und Folklore bei Laune gehalten (www.mdf-sibenik.com).

HOTEL

Ein Pinienwald spendet der Hotel- und Campinganlage €/€€€ **Amadria Park** (Ex-Sola-

ris), 6 km südlich, Schatten. Familien schätzen das Kinderhotel Andrija und den Aquapark (www.solaris.hr).

RESTAURANT

Leckere traditionelle dalmatinische Spezialitäten kommen in der €€ **Gradska vijećnica**, am Hauptplatz vor der Kathedrale Šibenik auf den Tisch (Tel. 0 22 / 21 36 05).

UMGEBUNG

Die vorgelagerten **Inseln Zlarin**, **Kaprije** und **Prvić** locken mit Buchten und Fischerdörfern. Die Altstadt von **Primošten**, 27 km südlich von Šibenik, erstreckt sich auf einer malerischen Halbinsel. Im **Nationalpark Krka**, **rund** 15 km nordöstlich von Šibenik, sind der Skradinski buk und der Roški slap die bekanntesten der sieben **Wasserfälle**, die sich hier durch das Karstgestein ergießen. Ein Kloster steht auf der kleinen **Insel Visovac** (Nacionalni park Krka, www. np-krka.hr).

INFORMATION

TIC, Obala palih omladinaca 3, 22000 Šibenik, Tel. 0 22 / 21 44 11, www.sibenik-tourism.hr

---

Tipp

Falkner vor Publikum

In der Greifvogelstation Dubrava, 8 km südöstlich von Šibenik, kümmert sich Emilio Menđušić um das Wohl von Falken und anderen Greifvögeln (mit Vorführungen).

INFORMATION

Sokolarski centar, Dubrava-Škugori bb, 22000 Šibenik, Tel. mobil 091/506 76 10, www.sokolarskicentar.com

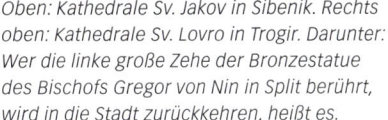

*Im kleinen Hafen von Brol auf der
Insel Brač schaukeln Boote, eine schattige
Promenade führt zum Goldenen Horn.*

② Trogir

Die Industrialisierung machte auch vor Trogir (11 000 Einw.) nicht halt. Aber das alte Herz der Stadt ist UNESCO-geschütztes Weltkulturerbe.

SEHENSWERT/MUSEUM

Wehrmauern schotten die Altstadt ab, die sich auf einem künstlichen Inselchen zwischen Festland und der Bade- und Hotelinsel **Čiovo** erstreckt. Das barocke **Landtor** (Kopnena vrata) aus dem 17. Jh. führt zum Hauptplatz Trg Ivana Pavla II., den mehrere **Renaissance-Prachtbauten** rahmen. Beeindruckend ist die **Kathedrale Sv. Lovro** (hl. Laurentius; 1123 bis 1610); Meister Radovan schuf 1240 das romanische Westportal. Am nördlichen Seitenschiff begeistert die Renaissance-Kapelle **Sv. Ivan Ursini**. Der Glockenturm misst 47 m (tgl. 9.00 bis 20.00 Uhr). An der Uferpromenade thront das **Kaštel Kamerlengo** (15. Jh.). Das **Benediktinerinnenkloster Sv. Nikola** (hl. Nikolaus) hütet ein Marmorrelief von Kairos, den altgriechischen „Gott des rechten Augenblicks" (1. Jh. v. Chr.), als Prunkstück seiner Kunstsammlung (Gradska 2, Sommer: 10.00–13.00, 16.15.–17.45 Uhr).

INFORMATION

TZG, Trg Ivana Pavla II/1, 21220 Trogir, Tel. 0 21 / 88 56 28, www.visittrogir.hr

③ Split

Ein pulsierender Hafen, eine Uferpromenade und urbanes Flair prägen Split (178 000 Einw.).

SEHENSWERT/MUSEUM

Die **Altstadt** entstand auf dem Fundament des **Diokletian-Palastes** (Dioklecijanova palača) **TOPZIEL**, mit 16 Türmen, vier Stadttoren und vier Tempeln. Durch das **Bronzetor** gelangt man von der Uferpromenade **Riva** in das **Peristyl**, den offenen Säulenhof des Palastes. Eine antike Sphinx aus Ägypten hütet das einstige Mausoleum von Kaiser Diokletian, das zur **Kathedrale Sv. Duje** (hl. Domnius) umgebaut wurde. Vom 57 m hohen Glockenturm eröffnet sich ein schöner Ausblick. Der römische **Jupitertempel** dient heute als Taufkapelle. Verlässt man die Altstadt durch das **Goldene Tor** im Norden, wird man von der 8 m hohen **Skulptur des Bischofs Gregor von Nin** (Sv. Grgur Ninski) begrüßt, die der Bildhauer Ivan Meštrović 1929 formte. Der Hausberg **Marjan** (178 m ü.d.M.) ist die grüne Lunge der Stadt, mit wundervollem Panorama-Blick auf die sich hier vor dem Betrachter ausbreitende Insel-Welt. Das **Archäologische Museum** (Arheološki muzej) hütet Funde aus der antiken Ruinenstadt Salona, dem heutigen Solin (Zrinsko-Frankopanska 25;

Juni–Sept. Mo.–Sa. 9.00–14.00 u. 16.00–20.00 Uhr, sonst Sa. nur vorm.; www.armus.hr). Die neoklassiz. Villa, heute **Galerija Ivana Meštrovića**, in der Ivan Meštrović lebte, zeigt seine Skulpturen (Šetalište Ivana Meštrovića 46, Sommer Di.–So. 9.00–19.00; www.mestrovic.hr).

AKTIVITÄT

Am lebhaften Stadtstrand Bačvice spielen die Einheimischen Picigin, **Wasserball.**

HOTEL UND RESTAURANT

Im € € € € **Le Méridien Grand Hotel Lav,** 6 km südl., kann man prima relaxen (Grljevačka 2a, Podstrana, www.lemeridienlavsplit.com). Auf der Terrasse des € € € **Adriatic Grašo** über dem Jachthafen wird raffinierte Slow-Food-Küche serviert (Uvala Baluni, Tel. 021/ 39 85 60, Facebook: Restoran Adriatic Graso).

EINKAUFEN

Es gibt diverse **Märkte**, z. B. in der Nähe des Kartenkiosks für Fähren am Hafen.

UMGEBUNG

Bei **Omiš**, 25 km östl., ist der Fluss Cetina für Rafting-Touren beliebt.

INFORMATION

TIC, Peristil bb, 21000 Split, Tel. 0 21 / 34 56 06, www.visitsplit.com

④ Makarska

Entlang der Riviera von Makarska reihen sich hübsche Badeorte aneinander wie Perlen an einer Kette.

Tipp

Hoch zu Ross ...

....

...traben die stolzen Reiter an der Menschenmenge in Sinj (37 km nordöstlich von Split) vorbei. Der festlichen Parade bei der Sinjska Alka folgt ein Wettbewerb: Die fünfzehn besten Alkaren, in historische Trachten gekleidet und auf Pferden galoppierend, müssen mit ihren Lanzen in einen kleinen Ring stechen, der hoch über der Straße hängt. Das Spektakel erinnert daran, dass die Bevölkerung am Fluss Cetina die osmanische Armee 1715 tapfer besiegte.

INFORMATION

1. Aug.-So., Hauptproben an den beiden Tagen zuvor; www.alka.hr

---

Mauerreste von Theater und Forum sind stumme Zeugen der einstigen Größe Salonas.

SEHENSWERT/MUSEEN

Am Hauptplatz **Kačićev trg** in Makarska ragt die Barockkirche Sv. Marko (1776) empor. An der Riva birgt das **Stadtmuseum** im Tonoli-Palast u. a. Trachten. Die **Schnecken- und Muschelsammlung** (Malakološki muzej) im Franziskanerkloster (14. Jh.) umfasst exotische Stücke (Franjevački put 1; Sommer tgl. 10.00 bis 12.00, 17.00–19.00 Uhr, So. nur vorm.).

AKTIVITÄT

Im Naturpark Biokovo führen **Wandertouren** zum Sv. Jure (1762 m, www.biokovo.com).

UMGEBUNG

Das alte Seebad **Brela** verbindet eine Pinienpromenade mit dem Ferienort **Baška Voda**.

INFORMATION

TZG, Franjevački put 2, 21300 Makarska, Tel. 0 21 / 61 20 02, www.makarska-info.hr

⑤ Insel Brač

Auf Postkarten taucht die Insel Brač (13 000 Einw.) vor allem wegen des Zlatni rat, des **Goldenen Horns TOPZIEL**, auf. Frühchristliche und altkroatische Kirchen, oft nur schwer zu erreichen, zeugen von der langen Besiedlung der mit 395 km² drittgrößten kroatischen Insel. Die **Autofähre** verbindet Split und Supetar in rund 50 Min., die zwischen Split und Bol verkehrende **Personenfähre** ist 55 Min. unterwegs.

SEHENSWERT/MUSEUM

Im kleinen Hafen von **Bol** schaukeln Boote, eine schattige Promenade führt zum Goldenen Horn. Den schönsten Blick auf die Sand- und Kieselzunge hat man vom 778 m hohen Berg **Vidova Gora**. Auf dem Weg zum **Museumskloster Blaca** gibt es in der **Drachenhöhle von Murvica** (Zmajeva špilja) heidnische Inschriften zu entdecken (nur mit Führung, auch deutsch: Zoran Kojdić, Mobil 0 91 / 5 14 97 87). Auf einer Halbinsel beim Badeort Supetar im Norden befindet sich das **Jugendstil-Mausoleum** der Reederfamilie Petrinović. Im alten Wehrturmkomplex in Škrip (11 km südöstl. von

Supetar) zeigt das **Museum der Insel Brač** eine archäologische und kulturgeschichtliche Sammlung (Di.–So. 9.00–20.00 Uhr).

AKTIVITÄT

Wanderer besuchen das Einsiedlerkloster Blaca (Pustinja Blaca) in einer Felswand, das gläubige Glagoliter im 16. Jh. gründeten (Sommer Di.–So. 9.00–17.00 Uhr).

INFORMATION

TIC, Porat bolskih pomoraca bb (Hafen), 21420 Bol, Tel. 0 21 / 63 56 38, www.bol.hr

6 Insel Hvar

Die Insel ist für den Anbau von Lavendel, Rosmarin, Wein und Oliven berühmt. Die **Autofähre** verkehrt ab Split (ca. 2 Std.) oder Drvenik (35 Min.), die Personenfähre ab Split (ca. 1 Std.).

SEHENSWERT

In **Hvar-Stadt** zieht sich die venezianisch geprägte Häuserreihe an der an Jachten reichen **Anlegestelle** bis zum Hauptplatz mit Arsenal/altem Theater, Stadtloggia und Kathedrale. Ein Pfad führt zur **Španjola** (1551), der Spanischen Festung mit Museum, die den Blick auf die Inselgruppe Pakleni otoci freigibt. Beschaulicher ist das Hafenstädchen **Stari Grad**; auch **Jelsa** weiter östlich ist touristisch ruhiger.

HOTEL UND RESTAURANT

Im € € € € **Amfora Hvar Grand Beach Resort** in einer ruhigen Bucht überzeugen Design-Zimmer und Poollandschaft (www.suncanihvar.com). Aufmerksamer Service, bodenständige dalmatinische Küche: € € € **Dalmatino** (Sv. Marak 1, Tel. mobil 091 / 529 31 21).

UMGEBUNG

Die winzige **Insel Palmižana** lockt mit Sandstrand und Verandalokal € € **Meneghello** (Tel. 0 21 / 71 72 70, www. palmizana.com).

INFORMATION

TZG, Trg sv. Stjepana 42, Tel. 0 21 / 74 10 59, www.visithvar.hr

7 Insel Vis

Ab Split fährt die **Personenfähre** in gut 2 Std. nach Vis-Stadt.

SEHENSWERT

Die beiden venezianisch geprägten Hauptorte, das lebhaftere **Vis** und das stille **Komiža**, verbindet eine Straße, die zu traumhaften, auch von Tauchern geschätzten Buchten abzweigt. Auf halber Höhe des 587 m hohen **Hum** verschanzte sich Partisanenführer Tito im Zweiten Weltkrieg in einer Höhle.

INFORMATION

TZG, Šetalište Stare Isse 5, 21480 Vis, Tel. 0 21 / 71 70 17, www.tz-vis.hr

---

Genießen   Erleben   Erfahren

Faszinierendes Blau

DuMont Aktiv

In der Blauen Grotte von Biševo dringen Sonnenstrahlen, die durch eine Öffnung in der Felswand einfallen, sanft durch die Wasseroberfläche. Die Berührung entwickelt sich prompt zu einem atemberaubend schönen Farbspiel. Doch die Faszination währt nicht lange.

Einsam ruht das winzige Eiland Biševo, südwestlich der Nachbarinsel Vis, im türkisblauen Meer. Je näher sich das Ausflugsboot auf das Eiland zubewegt, umso lebhafter wird es nun auch auf dem Wasser: Die Blaue Grotte (Modra špilja) zieht viele Tagestouristen an, die auf das faszinierende Zusammenspiel von Sonne, Felsgestein und Meer hoffen, das ihnen zuvor von den Ausflugsveranstaltern versprochen wurde.

In Komiža legen die Boote ab.

Vergängliche Schöne: Die Zeit drängt, denn nur zwischen 11.00 und 12.00 Uhr wird die Höhle, die halb unter, halb über Wasser liegt, so durch das gebrochene Licht beleuchtet, dass ein unwirklicher Blauton den Raum erfüllt. Der Zugang zur Grotte ist klein, nur Schlauch- oder Ruderboote können das Felsloch passieren. Sobald die Mittagssonne etwas tiefer gesunken ist, verschwindet nicht nur der Glanz in der Grotte, sondern auch das Gros der Ausflugsboote. Wer Gefallen an dem Farbspiel gefunden hat, sollte sich noch zur weniger bekannten Grünen Grotte (Zelena špilja) auf der kleinen Nachbarinsel Ravnik aufmachen. Sie entflammt ähnlich schön, allerdings in smaragdgrüner Faszination, wie der Name schon verrät. Die hellere Farbe entsteht durch mehr Licht und einen höheren Zugang zur Grotte.

Weitere Informationen

Planung: Organisierte Tagesausflüge zur Blauen Grotte können ab Komiža auf Vis, ab Hvar und in weiteren Touristenorten gebucht werden.

Anbieter: Alternatura, Hrvatskih mučenika 2, 21485 Komiža, Tel. 021/71 72 39, www.alternatura.hr

Der Himmel auf Erden

Dubrovnik, dessen gesamte Altstadt zum Welterbe der UNESCO gehört, ist ein urbanes Juwel. Tagtäglich schiebt sich eine große Touristenmenge durch die Gassen. Erholung vom Trubel bieten subtropisch blühende Inseln in der Umgebung, auf denen Zitronen und Agaven wachsen.

Prächtige Paläste, Kirchen und Museen – die Vielfalt in Dubrovnik lässt kaum Zeit, alles bei einem Besuch zu entdecken.

Vom Stadtstrand in Dubrovnik bietet sich ein schöner Blick auf das
Meer und die vor der mächtigen Stadtmauer kreuzenden Schiffe.

Die Skulptur des Roland (oben) vor der Kirche
Sv. Vlaho erinnert an den mittelalterlichen Helden
Orlando (Roland), der dabei geholfen haben soll,
Dubrovnik aus den Fängen von Piraten zu befreien.
Die Kirche steht östlich des Stradun, der Haupt-
flaniermeile der Stadt (rechts).

Dubrovnik ist reich an Palästen. Im Rektorenpalast, ursprünglich für den Repräsentanten der Stadt gebaut, umfangen Säulen und Arkaden einen Innenhof.

„Wenn Sie den Himmel auf Erden sehen möchten, kommen Sie nach Dubrovnik."

George Bernard Shaw (1856–1950)

Für viele ist Dubrovnik, dessen Altstadt manchmal mit einer Muschelschale verglichen wird, die „Perle der Adria". Eine trutzige Wehrmauer behütet das alte Herz der Stadt mit seinen engen Gassen und Renaissance-Palästen, das sich markant in die Adria hineinreckt. Daran, dass die winzige Landzunge früher einmal ein Felsen im Meer war, erinnert die Flaniermeile Stradun. Denn dort, wo heute Besucher die Cafés bevölkern, verlief einst ein sumpfiges Tal, durch Wasser vom Festland getrennt. Im 12. Jahrhundert machte man sich daran, den Kanal aufzuschütten. Und so wuchs die Altstadt auf dem Felsen schließlich mit der Siedlung auf der gegenüberliegenden Festlandseite zusammen.

Der Geist der Freiheit

Bis es so weit war, zogen etliche Jahre ins Land, denn nicht immer waren die Beziehungen zwischen den Bewohnern beider Stadtteile harmonisch. Nachdem Slawen und Awaren im Zuge der Völkerwanderung das südlich gelegene Epidaurum (Cavtat) im 7. Jahrhundert zerstört hatten, flüchteten die ursprünglich dort angestammten romanischen Dalmatier auf eben jenen Felsen und gründeten Ragusium. Später ließen sich die Slawen auch auf dem Festland gegenüber nieder, wo sie Dubrovnik gründeten. Der Name der Stadt lässt sich vom slawischen Wort dub für „Eiche" oder dubrava für „Hain" ableiten.

In Dubrovnik pflegte man seit jeher einen freiheitlichen Geist: Für alles Gold dieser Welt werde man seine Freiheit nicht verkaufen, meinte etwa der kroatische Barockdichter Ivan Gundulić (1589 bis 1638), der hier geboren wurde und auf der 50-Kuna-Note abgebildet ist. Von dieser Freiheit zeugt heute noch die Rolandsäule im Zentrum, die als Symbol einer freien Stadt gilt. Hoch über dem Roland – in Kroatien Orlando genannt – wehte jahrhundertelang die städtische Flagge mit dem Abbild des Stadtpatrons Sv. Vlaho (hl. Blasius). Im 18. Jahrhundert wurde eine weitere mit der Aufschrift „Libertas" als zweite Stadtflagge eingesetzt. Heute ist sie das Symbol der Dubrovniker Sommerfestspiele, bei denen vor traumhafter Altstadtkulisse eine ganz andere Form der Freiheit gepflegt wird: die künstlerische, mit viel Schauspiel und Musik unter freiem Himmel.

Kleine Republik mit Macht

Die freiheitliche Tradition kommt nicht von ungefähr. Über Jahrhunderte war es dem heutigen Dubrovnik gelungen, sich als unabhängige Stadtrepublik Ragusa zu behaupten. Nur einmal, zur Zeit der Kreuzzüge, gelang den Venezianern die Ein-

Im Gabrielli-Palast nahe der Kathedrale von Korčula zeigt das Stadtmuseum Exponate zur Geschichte der von Griechen, Römern, Illyrern, Kroaten und Venezianern geprägten Stadt.

Um die malerische Inselhauptstadt Korčula rankt sich die Legende, dass Marco Polo hier geboren sein könnte.

Das Revelin-Tor gewährt mit seiner breiten Treppe Zugang zur – auf einem gleichmäßigen Raster parallel verlaufender Straßen angelegten – Altstadt von Korčula.

Special

Salzgärten von Ston

Das weiße Gold des Meeres

Weit erstrecken sich die Salzbecken von Ston auf der Halbinsel Pelješac.

In der alten Saline von Ston wird das Salz noch mit einem Holzrechen gepflügt und geerntet. Dabei packen Freiwillige mit an.

Im Unterschied zur heutigen Zeit hat man die Bewohner früher zur Salzernte verpflichtet. Wer sich weigerte, wurde bestraft. Heute arbeiten hier Freiwillige für Kost und Logis, zumindest von Juli bis September – das ist die Zeit der Salzernte und des internationalen Freiwilligen-Camps.

Fünf bis sechs Stunden dauert die Arbeit Tag für Tag, und noch bevor die Sonne im Zenit steht, ist Feierabend. An jedem Tag wird eines der flachen Becken in der ruhigen Bucht vor Ston geerntet, was einen Ertrag von 30 bis 100 Tonnen Salz ergibt.

Das „Weiße Gold des Meeres" lässt sich nicht überall gewinnen, dazu muss das Wasser sehr sauber und natürlich salzhaltig sein. In flachen Becken, in denen es von der Sonne erwärmt wird, setzt der Verdampfungsprozess ein. Zurück bleiben Salzkristalle und Ablagerungen.

Die Salinen trugen schon früh zum Reichtum dieser Region bei: Die Peninsula Pelješac gehörte zur Stadtrepublik Ragusa, die das Salzmonopol hielt. Bereits im 13. Jahrhundert wurden sechs Passagen rund um den Salzhandel in die Verfassung Dubrovniks aufgenommen, 1493 rief man einen Magister salinarium aus dem italienischen Apulien herbei, der für die Verbesserung der Qualität des Salzes sorgen sollte. Sogar eine eigene Salzbehörde, das Officium salis, wurde gegründet. Die Entlohnung in Ston erfolgte selbstverständlich in Form von Salz. Auch heute gibt es jeweils ein Säckchen selbst geerntetes weißes Gold für die freiwilligen Erntehelfer mit auf den Heimweg.

nahme. So klein die Republik auch war, die vom 14. Jahrhundert bis 1808 bestand und die Halbinsel Pelješac, die Inseln Mljet, Lastovo und die Elaphiten sowie die Küste zwischen Neum und Sutorina im Süden umfasste – der Republik Venedig blieb sie stets ein Dorn im Auge. Denn Venedig expandierte in der östlichen Adria bis vor die Tore der maritimen Stadtrepublik. Das kleine Ragusa betrieb unterdessen blühenden Handel im gesamten Mittelmeerraum, pflegte internationale diplomatische Beziehungen und unterhielt eine Flotte von 200 bis 300 Schiffen.

Erst das heftige Erdbeben von 1667, das mehrere Tausend Opfer forderte, versetzte Ragusa den Todesstoß. Zwar hielten Stadtmauer, Sponza- und Rektorenpalast der starken Erschütterung stand, doch Ragusa erreichte nie wieder die Schönheit von einst. Die Stadt geriet unter osmanische Oberhoheit, wurde dann von den Truppen Napoleons eingenommen und mit der Neuordnung Europas infolge des Wiener Kongresses im Jahr 1815 österreichisches Kronland. Wien legte mehr Wert auf den Ausbau der Häfen Pula und Rijeka; Ragusa, das erst seit 1921 offiziell Dubrovnik heißt, verlor als Seemacht nun endgültig an Bedeutung. Heute lebt die Stadt vom Tourismus.

Heimat des Marco Polo?

Um die malerische Inselhauptstadt Korčula mit ihren dicken Wehrmauern rankt sich die Legende, dass hier der venezianische Kaufmann und Seefahrer Marco Polo (um 1254–1324) geboren sei. So genau weiß das zwar niemand, aber man erinnert gern daran, dass der Nachname De Polo bis heute auf dem Eiland sehr gebräuchlich ist. Hinter der Kathedrale, in der gleichnamigen Straße, befindet sich das vermeintliche Geburtshaus des legendären Reisenden, das jedenfalls im Besitz einer gewissen Familie Polo war. Marco Polo selbst war 1298 als Kommandant einer venezianischen Galeere bei der Seeschlacht von Curzola, dem heutigen Korčula, in genuesische

Nur drei Inseln des Archipels der Elaphiten sind bewohnt. Rote Dächer, ein hoher Kirchturm und ein kleiner Hafen bestimmen das Bild von Lopud, dem Ort auf der gleichnamigen Insel.

Die mächtige Befestigungsanlage auf der Halbinsel Pelješac verbindet die Orte Mali Ston und Veliki Ston über den Berg hinweg.

Die ehemalige Klosterkirche des Franziskanerklosters auf Lopud ist mit prachtvollen Altären ausgestattet.

Šipan mit dem Hafenort Šipanska Luka ist die größte der vor der süddalmatinischen Küste gelegenen Elaphitischen Inseln.

Gefangenschaft geraten. Dort hatte er seine Reiseberichte aus Asien verfasst. Dass er darin Venedig als seinen Geburtsort angibt, sieht man auf Korčula nicht so eng – die heute kroatische Insel stand ja einst unter venezianischer Herrschaft.

An fremde Herrscher erinnert auf Korčula auch der Moreška-Säbeltanz, bei dem tapfere Kämpfer seit vier Jahrhunderten ihre Fehde austragen. Es ist ein tänzerisches Spiel um Liebe und Verrat, bei dem verfeindete Ritter mit goldverzierten Kostümen um die Gunst eines Mädchens ringen. Ursprünglich gedachte man mit den spitzen Säbeln der Angriffe der Osmanen im 16. Jahrhundert. Inzwischen zieht das farbenfrohe Sommerspektakel um den Tanz in der Altstadt von Korčula viele Gäste an.

Umstrittene Brücke

Wer heute auf dem Landweg in den südlichsten Ausläufer Dalmatiens reist, der muss nahe dem Neretva-Delta den Fuß auf das Gebiet von Bosnien-Herzegowina setzen. Man passiert Neum, einen Ferienort, in dem vor allem Einheimische Zimmer mieten und Kroaten Zigaretten kaufen – und schon gewähren Grenzbeamte wieder Zutritt zu Kroatien. Eine Brücke soll neue Perspektiven schaffen, so sieht man es zumindest auf kroatischer Seite. Mit dem Megaprojekt Pel-

ješki most, der Pelješac-Brücke, will man Süddalmatien und die Inselwelt mit dem übrigen kroatischen Küstensaum verbinden. Vorgesehen ist ein Verlauf der Schrägseilbrücke über die Bucht von Ston, genauer gesagt: vom Festland südöstlich von Ploče auf den nördlichen Teil der Halbinsel Pelješac. So soll eine durchgehende Landverbindung auf kroatischem Territorium bis nach Dubrovnik entstehen. Zudem soll die Insel

tern längste kroatische Brücke, die auf die Insel Krk führt, bei weitem übertrumpfen.

Jahrelang war die Pelješac-Brücke ein Zankapfel zwischen den beiden Ländern, bis die Kroaten schließlich Ende 2007 mit dem ersten Spatenstich Ernst machten. In Kroatien selbst ist man geteilter Meinung: Die einen sehen die geplante Brücke als Millionengrab, die anderen geben sich optimistisch und hof-

Eine neue Brücke soll neue Perspektiven schaffen – so sieht man das auf kroatischer Seite.

Korčula, die gegen die Abwanderung kämpft, besser angebunden werden. Allerdings ist das offizielle Bosnien-Herzegowina von diesen Plänen alles andere als angetan: Mit einer Länge von 2,4 Kilometern und einer Mittelspannweite von 563 Metern könnte das monumentale Bauwerk die Einfahrt großer Schiffe gefährden, die den einzigen Adriahafen des Landes in Neum ansteuern. Mit seinen Ausmaßen würde das ambitionierte Großprojekt die derzeit mit 1,3 Kilome-

fen, dadurch die Abwanderung von den Inseln einzudämmen. Wegen wirtschaftlicher Probleme wurden die nur langsam voranschreitenden Arbeiten im Jahr 2010 gestoppt. Mit dem EU-Beitritt Kroatiens kam ein neuer Wind in das Mega-Projekt: Das 420 Mio. Euro teure Projekt wird nun mit EU-Hilfe weitergebaut, ein chinesisches Konsortium bekam den neuen Zuschlag und baut mit Hochdruck an der Brücke – die bis 2022 stehen soll. Kritiker bleiben gespannt…

Die ungewöhnlichsten Unterkünfte

Wie man sich bettet, so liegt man

Vom Campingplatz bis zur Luxusherberge: An der kroatischen Adriaküste ist das Angebot an passenden Unterkünften für jeden Geschmack (und Geldbeutel) so vielfältig wie kontrastreich. Der Zeit entrückt sind authentische Unterkünfte in Natursteinhäusern, einstigen Fischerhütten oder entlegenen Robinson-Behausungen. Wer mag, kann sich sogar als Leuchtturmwärter auf Zeit einmieten!

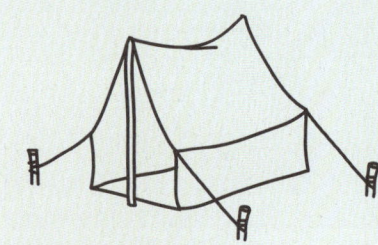

③ Orientalische Villa mit Privatstrand

④ Designhotel hoch über den Wellen

① Robinson-Behausungen mit Duschsack

Das Paradies ist nur mit dem Boot erreichbar: Wenige Meter von der einsamen Mole entfernt steht ein schlichtes winziges Steinhaus im Schatten knorriger Oliven- und Feigenbäume. Hinter der stillen Bucht ragt nackter Fels empor, an dem sonnenversengtes Gras welkt. Eine Oase der Einsamkeit, weitab von jeder Zivilisation. Oder genauer: eine Robinsonade, denn genau um ein solches Abenteuer fern vom Massentourismus geht es hier: Zur wildromantischen Ferienidylle einer solchen Robinson-Behausung ohne Strom, fließendes oder gar warmes Wasser im Haus gehört ein Solarsack im Freien, der Duschwasser spendet. (Der nächste Regen füllt die Zisterne wieder auf.) Oftmals sind es mehrere Kilometer, die die freiwilligen Robinsons von den nächsten Nachbarn trennen. Ein eigenes Ruderboot sorgt vielerorts für Mobilität. Zur Wahl stehen Inseln wie Hvar oder Pašman, aber auch die Kornaten. Den Mut für und die Lust auf ein Abenteuer in der kroatischen Wildnis muss jeder selbst mitbringen.

€ €, Buchung über: www.adriatic.hr

② Fischerhütten mit Solarkollektoren

Einfache Steinhäuser boten Fischern früher Unterschlupf, wenn diese von einem Unwetter überrascht wurden. Längst haben sie eine neue Bestimmung: Sie beherbergen zivilisationsmüde Touristen, die auf High Tech verzichten wollen und können. Im Gegensatz zu den Robinson-Behausungen sind viele Fischerhütten mit dem Auto erreichbar. Die Hütte „Ingrid" beispielsweise thront auf dem unbewohnten Eiland Veliki Vinik, 15 Bootsminuten von der Insel Murter entfernt.

€ €, Buchung über www.
heartofdalmatia.com oder
www.touristagency-lori.hr

Sie wirkt wie ein Traum aus Tausendundeiner Nacht: die Villa Sheherezade, ein Nebengebäude des luxuriösen Kurhotels Grand Villa Argentina in Dubrovnik, ein orientalischer Architekturtraum mit azurblauer Kuppel, neogotischen Fragmenten und nur fünf Zimmern. Das ungewöhnliche Bauwerk wurde von einem wohlhabenden Banker in den 1920er-Jahren erbaut. Unter Pinien und Palmen bleibt man am geschützten Privatstrand unter sich. Die Exklusivität ist allerdings nicht ganz preiswert: 7000 Euro für die Anmietung der Villa muss man einkalkulieren – pro Nacht!

€ € € € Villa Sheherezade,
Ulica Vlaha Bukovca 2,
20000 Dubrovnik, Tel. 020 /
30 03 04, www.adriatic
luxuryhotels.com

Meer und Festland verschmelzen förmlich in diesem außergewöhnlichen Designhotel, das direkt über einer Steilklippe am äußersten Stadtrand von Opatija thront. Die Aussicht ist einfach grandios: Eine gläserne Balkonbrüstung öffnet den ungetrübten Blick aufs Wasser, fast fühlt man sich, als schaukle man auf den Wellen. Dazu passt das schnörkellose Interieur, das durchweg „made in Croatia" ist, mit maritimer Note. Das Meer dominiert auch die Speisekarte des Gourmetrestaurants, in dem bevorzugt regionale Zutaten in den Topf kommen. Übrigens: „mit Meerblick" ist hier der Standard.

€ € € € Hotel Navis, Ivana
Matetića Ronjgova 10,
51410 Opatija, Tel. 051 / 44
46 00, www.hotel-navis.hr

9 Zu Gast bei Biobauern

6 Dalmatinische Bauernstube im Natursteinhaus

8 Unter dem Leuchtfeuer

7 Mandarinenernte für Hotelgäste

5 Festungshotel zur Piratenabwehr

5 Festungshotel zur Piratenabwehr

Ursprünglich war das Barockschloss der Adelsfamilie Marchi in der Maslinica-Bucht, an der Westküste der Insel Šolta, eine Festung: Die drei Marchi-Brüder bekamen 1703 von venezianischen Herrschern die Erlaubnis, einen Wehrturm mitsamt Dorf und Kirche zu errichten. Im Gegenzug sollten Piraten abgewehrt werden. Heute ist das Palais ein Hotel, in dem sechs Zimmer vermietet werden.

€ € € € **Hotel Martinis Marchi**, Put sv. Nikole 51, Maslinica, 21430 Grohote, Tel. 021 / 57 27 68, www. martinis-marchi.com

6 Dalmatinische Bauernstube im Natursteinhaus

Das alte Natursteinhaus mit Blick auf einen Bach verleiht dem Urlaub eine ganz besondere Atmosphäre: Geschlafen wird in zehn Bauernstuben mit Holzbetten, während Hausherrin Ivana Kalpić in der Küche luftgetrockneten Schinken, hausgemachte Weine und selbstgebrannten Schnaps für ihre Gäste herrichtet. Wer will, darf mit zur Obsternte und Weinlese. Vor allem Männer lassen sich bei Familie Kalpić gerne in die hohe Kunst der dalmatinischen Peka-Grillkunst einweisen, bei der die gusseiserne Schmorglocke in die Glut gelegt wird. Hier fühlt man sich wie zu Hause.

€ **Agroturizam Kalpić**, Kalpići 4, 22221 Radonić, Tel. mobil 091 / 5 84 55 20, www.kalpic.com

7 Mandarinenernte für Hotelgäste

Es gibt sicher anspruchsvollere Häuser in Kroatien. Doch die so schlichten wie behaglichen Zimmer, die Frauennamen wie „Ana" oder „Jela" tragen, sind auch nicht der Hauptgrund, warum Urlauber hier gerne einchecken – das liegt am Ausflugsangebot. Im Oktober und November geht es zur Mandarinenernte ins fruchtbare Neretva-Delta. Im Sommer schippern regionaltypische Segelboote bei der Fotosafari zu einem Neretva-Haus, in dem Spezialitäten aufgetischt werden.

€ **Hotel Villa Neretva**, Splitska 14, Krvavac II, 20350 Metković, Tel. 020 / 67 22 00, www. hotel-villa-neretva.com

8 Unter dem Leuchtfeuer

Als Leuchtturmwärter auf Zeit kann man sich in Veli Rat beweisen, im Nordwesten der Insel Dugi Otok. Der 45 m hohe Turm soll 1849 mithilfe von 100 000 Eidottern errichtet worden sein, die das Gemäuer zusammenhielten. Zwei einfache, saubere Appartements werden von der freundlichen Betreiberfamilie des Leuchtturms vermietet, und die Warteliste ist in der Regel lang – rechtzeitige Voranmeldung also unbedingt zu empfehlen. Aber wer möchte nicht einmal nachts von der Leuchtturmspitze aus auf das spiegelnde Meer schauen, ehe er sich süßen Träumen hingibt? Behausungen dieser Art gibt's mehrere an der kroatischen Adriaküste – diese hier ist besonders schön.

€ € € / € € € € **Leuchtturm Veli rat**, 3 km nordwestlich des gleichnamigen Ortes, Buchung über www.light houses-croatia.com

9 Zu Gast bei Biobauern

Gästen, die von der Familie Sinković auf den rustikalen Holzbänken im Hof üppig bewirtet werden, schenkt man selbst gekelterten Malvazija und Teran ein, die beiden regionaltypischen Weinsorten der Region. Dazu werden Schinken, Käse und hausgemachte Fuži (Nudeln) serviert – mit geraspeltem Trüffel verfeinert. Alle Köstlichkeiten stammen aus eigenem Bioanbau. Einmieten kann man sich in einem einem der neun einfachen, sauberen Appartements. Nur das große alte Weinfass eignet sich nicht zur nächtlichen Ruhe – das ist bereits belegt: von den beiden Mexikanischen Hängebauchschweinen Gigi und Pepa, die sich hier gern so eng aneinander kuscheln, dass nur noch ihre beiden schwarz-gescheckten Rüssel herausragen.

€ € **Agroturizam San Mauro**, Familie Sinković, San Mauro 157, 52462 Momjan, Tel. 0 52 / 77 90 33, www.sinkovic.hr

Maßstab 1:400.000

0   10km

Jetset, Wein, stille Inseln

Das südliche Dalmatien, vom übrigen kroatischen Festland abgetrennt, ist sich seiner Sonderstellung durchaus bewusst. Das gilt insbesondere für Dubrovnik, das mit seinen noblen Herbergen auf den Jetset setzt und sich exzellente Rotweine von der Halbinsel Pelješac anliefern lässt. Auf stillen Inseln bietet die Region viel Raum zum Innehalten.

Tipp

Guter Tropfen

Die Halbinsel Pelješac gilt als Heimat der Rebe Plavac Mali, auch Mali Plavac genannt, wörtlich „Kleiner Blauer". Die knorrigen, niedrigen Rebstöcke, die genetisch mit dem weitaus berühmteren kalifornischen Zinfandel verwandt sein sollen, sind hier starken Winden und sehr viel Sonnenschein ausgesetzt, was dem berühmten violettschwarzen **Dingač** seinen aromatischen Beerengeschmack verleiht. Dabei werden die Trauben erst sehr spät gelesen. Auf der Halbinsel gibt es mehrere Weingüter, die auch zum Probieren einladen, wie etwa Bartulović in Prizdrina oder Matuško in Potomje.

INFORMATION
www.vinarijabartulovic.hr
www.matusko-vina.hr

❶ Halbinsel Pelješac

Schmal und gebirgig ragt die nur 7 km breite, 70 km lange Halbinsel Pelješac (8000 Einw.), bekannt für kräftigen Rotwein, Muscheln und Austern aus der Bucht von Ston in die Adria.

SEHENSWERT
Die 5,5 km lange **Befestigungsanlage** von Ston wurde zum Schutz von Ragusa, dem heutigen Dubrovnik, emporgezogen. Touristenzentrum ist **Orebić** im Westen, wo sich Kapitäne schmucke Villen mit subtropischen Gärten er-

richten ließen. Das **Franziskanerkloster** (Franjevački samostan) westlich auf einer Anhöhe birgt eine Ikone, die Seefahrer im Pelješac-Kanal schützen soll. Der höchste Berg der Halbinsel, **Sv. Ilija**, erhebt sich 961 m hoch, ein Wanderweg (4 Std.) führt zum Gipfel.

MUSEUM
Im **Schifffahrtsmuseum** (Pomorski muzej) von Orebić werden alte Landkarten präsentiert (Trg Mimbelli; Sommer Mo.–Fr. 7.00–20.00, Sa./So. 17.00–20.00, Winter Mo.–Fr. 7.00–15.00 Uhr).

AKTIVITÄTEN
Neben Orebić gilt das verschlafene Viganj im Westen als Tipp für **Wind-/Kitesurfer**. Wunderschön: der **Sandstrand** von Prapratno (Osten)!

RESTAURANT/HOTEL
In der € € € **Kapetanova kuća** kommen Spezialitäten aus der Bucht von Ston auf den Tisch (mit Hotel; Mali Ston, www.ostrea.hr).

INFORMATION
TZO Ston, Pelješki put 1, Tel. 0 20 / 75 44 52, www.ston.hr; TZO Orebić, Zrinsko-Frankopanska ul. 2, Tel. 0 20 / 71 37 18, www.visit orebic-croatia.hr

❷ Insel Korčula

Knorrige Olivenbäume, saftige Reben und dunkelgrüne Pinienwälder prägen **Korčula TOPZIEL**, mit 276 km² sechstgrößte Insel Kroatiens. **Personen-** und **Autofähre** verbinden Split und Vela Luka (2,5 / 3 Std.). Zwischen Orebić (Pel-

ješac) und Dominče (Korčula) dauert die Überfahrt nur 20 Min.

SEHENSWERT
Wie ein Fischgrätmuster verlaufen die alten Gassen der Inselhauptstadt **Korčula**, des „kleinen Dubrovnik". Den schönsten Blick auf die **Altstadt** hat man von der Fähre aus. Die Stadtmauer ist an einigen Stellen eingebrochen. Die imposante **Kathedrale Sv. Marko** im Zentrum, 1329 erstmals erwähnt, wird von venezianischen Steinlöwen bewacht; sehenswert sind Rosette, Steinziborium und Aussichtsturm (Sommer tgl. 9.00–19.00 Uhr). Die Schatzkammer im **Bischofspalais** (Biskupska palača) nebenan hütet u.a. Skizzen von Leonardo da Vinci. Auch das **„Geburtshaus" des Marco Polo** (Kuća Marka Pola) lohnt den Besuch (Juli/Aug. 9.00–21.00, Juni/Sept. 10.00–16.00 Uhr). Zur **Kirche Sv. Antun** südöstlich der Altstadt führen 101 Stufen hinauf. Das ruhigere Hafenstädtchen **Vela Luka** erstreckt sich im Westen an einer tief eingeschnittenen Bucht.

MUSEUM/VERANSTALTUNGEN
Das **Moreška-Museum** im Turm Veliki Revelin in Korčula (Juli/Aug. 9.00–21.00, April–Juni, Sept. bis 15.00 Uhr) widmet sich dem Säbeltanz, der bis heute auf der Insel aufgeführt wird (Juli/Aug. Mo. u. Do. 21.00, Juni/Sept. nur Do.). Dalmatinischer Gesang und Wein stehen beim **Marco-Polo-Fest** (Juli) im Mittelpunkt (www.marco polofest.hr).

EINKAUFEN
Das nach Orangen duftende Süßgebäck aus der nach ihm benannten **Konditorei Cukarin** in Kor-

Blick über die Befestigungsanlage von Ston auf der im Süden Kroatiens an der dalmatinischen Adriaküste gelegenen Halbinsel Pelješac.

Oben: Stand mit leckerem Bauernkäse in Kor-čula. Rechts: Wälder überziehen die Insel Mljet, an der in geschützten Buchten Segler ankern.

čula zergeht auf der Zunge (Hrvatske bratske zajednice bb, www.cukarin.hr).

UMGEBUNG

Auf der vorgelagerten **Insel Badija** steht ein Franziskanerkloster aus dem 14. Jh.

INFORMATION

TZG, Obala dr. Franje Tuđmana 4, 20260 Korčula, Tel. 0 20 / 71 57 01, www.visitkorcula.eu

❸ Insel Lastovo

Das abgeschiedene Eiland (1300 Einw.) war bis 1989 für Ausländer gesperrt. Taucher schätzen die fischreichen Gewässer rund um die Insel, die gerade mal 8 km lang, 5 km breit und mit der **Fähre** ab Split über Korčula (Vela Luka) sowie ab Dubrovnik zu erreichen ist.

SEHENSWERT

Den Reiz des beschaulichen Bergdörfchens **Lastovo** im Nordosten, 10 km vom Fährhafen Ubli entfernt, machen alte **Steinhäuser** und ein kleiner **Kirchplatz** aus. Die windgeschützte „verborgene Bucht" **Skrivena Luka** im Süden begeistert mit einem alten Leuchtturm von 1839. Der weitgehend unberührte **Archipel von Lastovo** mit seinen 46 winzigen Inselchen hat Naturparkstatus (www.pp-lastovo.hr).

VERANSTALTUNG

Als Teil des **Karnevalsbrauchs** (Poklad) wird eine Strohpuppe ins Tal hinabgelassen, schuldig gesprochen und verbrannt.

INFORMATION

TZ, Pjevor 7, 20290 Lastovo, Tel. 0 20 / 80 10 18, www.tz-lastovo.hr

❹ Insel Mljet

Kiefern und Steineichen überziehen die Insel, auf der einst der Sagenheld Odysseus sieben Jahre mit der Nymphe Kalypso verbracht haben soll. Die **Personenfähre** ab Dubrovnik stoppt in Sobra, nordwestl. von Mljet, und in Polače im Westen (www.gv-line.hr). Jadrolinija betreibt eine **Autofähre** zwischen Prapatno (Pelješac) und Sobra.

SEHENSWERT

Der schönste Wanderweg führt an den beiden **Salzseen** Veliko und Malo jezero (Großer und Kleiner See) vorbei, die seit 1960 zum **Nationalpark Mljet** im Westen gehören. Den Veliko jezero ziert die malerische **Klosterinsel Sv. Marija** mit Benediktinerkloster (12. Jh.). Im größten Inselort, **Babino Polje**, gibt es ein Fürstenpalais und Renaissance-Gebäude aus der Zeit der Republik Ragusa.

AKTIVITÄTEN

Mljet ist etwas für Aktive: **Mountainbikeverleih** in Pomena, **Windsurfing** beim Hotel Odisej, **Sandstrände** im Osten bei Saplunara.

HOTEL

Das einzige Inselhotel **€ € €** **Odisej** erinnert an den griechischen Helden (Pomena 16, Tel. 0 20 / 30 03 00, www.adriaticluxuryhotels.com).

INFORMATION

TZ, Zabrežje 2, 20225 Babino Polje, Tel. 0 20 / 74 60 25, www.mljet.hr

❺ Elaphitische Inseln

Der bezaubernde Archipel umfasst 13 winzige Eilande und erhielt seinen Namen von den alten Griechen – wohl nach elaphos, „der Hirsch". **Fähre** ab Dubrovnik.

SEHENSWERT

Die **Insel Koločep** (150 Einw.) begrüßt Besucher mit Orangen- und Zitronenbäumen, zerklüfteten Felsen im Süden und geschützten Buchten. Auf **Lopud** (350 Einw.) erinnern Sommerresidenzen am Hafen an Kapitäne und Kaufleute aus Ragusa. In Šipanska Luka auf der **Insel Šipan** (500 Einw.) lebten einst Statthalter aus Ragusa im Rektorenpalast.

HOTEL

Noch vor zwei Jahrzehnten war das **€ € € Hotel Šipan** eine Fabrik (20233 Šipanska Luka, Tel. 0 20 / 36 19 01, www.hotel-sipan.com).

❻ Dubrovnik

Wenn die großen Kreuzfahrtschiffe im Hafen Gruž anlegen, wird es in der Altstadt von **Dubrovnik** TOPZIEL (43 000 Einw.) eng.

SEHENSWERT/MUSEEN

Die **Stadtmauer** (Sommer 8.00–19.30 Uhr, sonst kürzer; siehe Tipp rechte Seite) führt am romanisch-gotischen **Franziskanerkloster** vorbei (Franjevački samostan; 14. Jh.; Sommer tgl. 9.00–18.00 Uhr, sonst kürzer). Die **Klosterapotheke**, seit 1317 in Betrieb, gilt als älteste in Europa! Zum **Dominikanerkloster** mit Kreuzgang (13. Jh.) gehört ein Museum mit Gemälden regionaler Alter Meister. Die **Kirche Sv. Vlaho** am südlichen Stradun ist dem hl. Blasius geweiht, dem Schutzpatron der Stadt. Im **Sponza-Palast** (Palača Sponza) mit Einflüssen von Renaissance und Spätgotik, östlich des **Stradun**, mussten Kaufleute früher Waren verzollen; heute hütet das Stadtarchiv hier wertvolle Dokumente. Der wiederaufgebaute **Rektorenpalast** (Knežev dvor) hat schöne Arkaden, im Inneren zeigt das **Historische Museum** (Kulturno-povijesni muzej) Münzen und Gemälde (Pred Dvorom; 9.00–18.00 Uhr). In der Schatzkammer (Riznica) der **Kathedrale Velika Gospa** (Mariä Himmelfahrt; Kneza Damjana Jude 1; Sommer tgl. 7.30–19.00 Uhr, sonst kürzer) werden die Reliquien des hl. Blasius aufbewahrt (prachtvolle Prozession jeden 3. Feb.). Die **Festung Lovrijenac** (Tvrđava) ganz im Westen war Schauplatz der US-Fantasyserie Game of Thrones; die Festung Sv. Ivan (Tvrđava Sv. Ivana) im Osten der Altstadt beherbergt ein Aquarium (Akvarij) und ein Marinemuseum (Pomorski muzej) mit Schiffsmodellen (Juli/Aug. tgl. 9.00–22.00 Uhr, sonst kürzer). Mit der **Drahtseilbahn** benötigt man knapp 4 Min. auf den **Berg Srđ** (www.dubrovnikcablecar.com) – fantastische Aussicht!

VERANSTALTUNG

Sommerfestspiele im Juli/Aug. in der Altstadt (www.dubrovnik-festival.hr).

RESTAURANT

Die **€ €** **Taverna Otto** serviert wenige, aber feine Gerichte in einem Gewölbekeller beim Hafen Gruž (Ul. Nikole Tesle 8, Tel. 020 / 35 86 33, www.tavernaotto.com; Mi.–Mo.).

UMGEBUNG

Die **Badeinsel Lokrum** lockt mit blühenden Gärten. Im **Arboretum Trsteno** (20 km nördl.) wachsen Sträucher und Bäume, die Seefahrer aus aller Welt mitbrachten (Sommer 7.00 bis 19.00, sonst 8.00–16.00 Uhr).

Tipp

Aphrodisiakum

Austern und **Muscheln** aus der **Bucht von Ston** gelten als die besten im Land. Stabiler Salzgehalt, sauberes Wasser und die flache Bucht tragen dazu bei, dass die Ostrea edulis, die europäische Auster, der eine aphrodisierende Wirkung zugeschrieben wird, dort besonders gut gedeiht.

Tipp

Fest gemauert

Einst wollte man damit Angreifer abhalten, heute wird das monumentale Bauwerk von Touristen eingenommen. Kein Wunder: Die **Stadtmauer von Dubrovnik** gilt als eine der schönsten Befestigungsanlagen in Europa. Zum Land hin sind die Mauern heute bis zu sechs Metern dick, während sie auf der Seeseite höchstens die Hälfte messen. Der Ausblick von der 1,94 km langen, teilweise bis zu 25 m hohen Festungsmauer verschafft einen guten Eindruck von der Stadt.

INFORMATION
TZG, Brsalje 5, 20000 Dubrovnik,
Tel. 0 20 / 32 38 87,
www.tzdubrovnik.hr

⑦ Cavtat

Das Ferienressort Cavtat (1000 Einw.), ganz im Süden der kroatischen Adriaküste, thront auf einer Halbinsel beim Flughafen Dubrovnik. Auf einer Anhöhe über der Altstadt erhebt sich das 1921 von Ivan Meštrović geschaffene **Mausoleum** (Mauzolej) der Reederfamilie Račić mit griech., byzant. und ägypt. Einflüssen.

MUSEUM
Im **Rektorenpalast** an der Uferpromenade ist auch die Sammlung des Rechtsgelehrten Baltazar Bogišić (1834–1908) ausgestellt (Di.–Sa. ab 9.00 Uhr). Die Werke des in Cavtat geborenen Vlaho Bukovac (1855–1922) präsentiert die **Galerie** in der Ul. Bukovca 5 (April–Okt. Mo. bis Sa. 9.00–18.00, So. 9.00–14.00 Uhr, sonst kürzer).

AKTIVITÄT
Das **Tauchzentrum** Epidaurum genießt einen guten Ruf (www.epidaurum.com). **Biken** und **Wandern** sind in der Region Konavle beliebt, z. B. auf dem Ronald-Brown-Weg.

INFORMATION
TZO, Zidine 6, Tel. 0 20 / 47 90 25, 20210 Cavtat,
http://visit.cavtat-konavle.com/de

Genießen   Erleben   Erfahren

Entdeckungen im Meer

DuMont Aktiv

Alte Wracks auf dem Meeresgrund sind eine Herausforderung für Taucher in Dalmatien. Wahre Unterwassermuseen aus alten Tagen werden hier von Fischschwärmen bevölkert. Im Alleingang sollte man sich jedoch keinesfalls an die stummen Zeitzeugen herantasten.

Steilwände und versteckte Unterwasserhöhlen fordern Taucher vielerorts in Dalmatien heraus. Im kristallklaren Wasser betten sich träge Drachenköpfe – träge, gut getarnte Bodenfische – auf dem Meeresgrund. Manche Taucher interessieren sich mehr für die unbelebten Zeitzeugen der Unterwasserwelt: die Wracks versunkener Schiffe, Torpedoboote oder gar Flugzeuge. Bei Cavtat verschweigen gleich drei antike griechische Schiffe, die vor mehr als 2000 Jahren Amphoren geladen hatten, warum sie seither unter Wasser liegen. Nahe Žuljana bei Pelješac gibt es deutsche Landungsboote zu entdecken, vor Dubrovnik liegt die Taranto.

Zu den interessantesten Wracks gehört das vor Pelješac liegende deutsche Schnellboot S-57, das im August 1944 bei einer Rettungsaktion gesprengt wurde. Es kann in einer Tiefe von 20 bis 40 Meter erkundet werden. S-57 ist noch mit Waffen bestückt, an Deck lassen sich die beiden Ersatztorpedos erkennen. Tauchen im Alleingang ist allerdings nicht möglich, sondern nur über ein Tauchzentrum vor Ort, das die entsprechende Lizenz für Tauchgänge zu Kulturgütern besitzt. An der Südküste von Vis können sich geübte Taucher zudem zur Erkundung einer American Air Force Boeing B17G aufmachen, die im Zweiten Weltkrieg abgestürzt ist.

Weitere Informationen

Zu den bekanntesten Tauchzentren der Region gehört das **Blue Planet Diving** in Dubrovnik (www.blueplanet-diving.com). Vor Cavtat organisiert die Tauchbasis **Epidaurum Diving** Tauchexkursionen zu Wracks (www.epidaurum. com). Tauchgänge zur S-57 führt das **Diving Center Žuljana** auf der Halbinsel Pelješac durch (www.divingcentrezuljana.com).

Oben: Im offenen Cabrio macht die Fahrt an der Küste gleich noch mehr Spaß. Rechts oben: Schinken aus eigener Herstellung im Agroturizam San Mauro. Darunter: Feigen – zum Zugreifen lecker.

Service

Praktische Informationen für die Reise und einiges Wissenswerte über die kroatische Adriaküste haben wir hier für Sie zusammengetragen.

Anreise

Mit dem Auto: Die kürzeste Strecke verläuft über München–Villach–Ljubljana in Richtung Koper/Rijeka. Alternativ: Graz–Maribor–Zagreb. In Österreich und Slowenien herrscht Vignettenpflicht, zudem wird Maut fällig für Tauern- und Karawanken-Tunnel. In Kroatien sind die Autobahngebühren nach Entfernung und Fahrzeugtyp gestaffelt. Gebührenpflichtig sind auch die Brücke auf die Insel Krk, der Učka-Tunnel und das Istrische Ypsilon. Die Autobahn in Süddalmatien führt derzeit bis zum Großraum Ploče, der Ausbau bis Dubrovnik wird noch einige Zeit dauern.

Mit der Bahn: Die schnellste Direktverbindung ans Meer führt von München oder Wien nach Rijeka (ca. 9 Std.). Am bequemsten ist ein Schlafplatz im ÖBB Nightjet von München nach Rijeka oder Zagreb (www.oebb.at). Innerkroatische (Autoreise-)Züge verkehren zwischen Zagreb und Split (www.hzpp.hr). Dubrovnik hat keine Bahnanbindung.

Mit dem Bus: Linienbusse fahren von den größeren deutschen Städten in Richtung kroatische Küste (www.flixbus.de, www.eurolines. de). Im Land selbst gibt es gute innerstädtische Busverbindungen.

Mit dem Flugzeug: Die kroatischen Küstenflughäfen Pula, Krk/Rijeka, Zadar, Split und Dubrovnik werden aus dem deutschsprachigen Raum direkt angeflogen, etwa von Lufthansa (www.lufthansa.com), Eurowings (www.eurowings.com) oder Wizz Air (www.wizzair.com). Die nationale Fluggesellschaft Croatia Airlines (www.croatiaairlines.com/de) bietet das ganze Jahr über Verbindungen u. a. ab Frankfurt, München, Wien oder Zürich. Bequemer sind Flugsuchportale wie www.swoodoo.com oder www.expedia.de.

Mit dem Schiff: Die nationale Reederei Jadrolinija (www.jadrolinija.hr) betreibt die meisten regionalen Linien zwischen dem Festland und der kroatischen Inselwelt. Fahrzeuge können nur auf einem Trajekt (Autofähre) mitgenommen werden. Schneller ist der Katamaran (Personenfähre). Eine Reservierung ist auch online möglich; Autofahrer sollten sich vor allem in der Hauptsaison rechtzeitig in die Warteschlange einreihen!

Auskunft

Kroatische Zentrale für Tourismus:
In Deutschland:
Stephanstr. 13, 60313 Frankfurt/M., Tel. 0 69 / 2 38 53 50, info@visitkroatien.de; Hesseloherstr. 9, 80802 München, Tel. 0 89 / 22 33 44, office@visitkroatien.de
In Österreich:
Liechtensteinstr. 22 a, 1090 Wien, Tel. 01 / 5 85 38 84, office@kroatien.at

Botschaften in Kroatien:
Deutsche Botschaft
Ulica grada Vukovara 64, 10000 Zagreb, Tel. 01 / 6 30 01 00, www.zagreb.diplo.de
In Notfällen: Tel. mobil 0 98 / 22 71 36
Österreichische Botschaft
Radnička cesta 80, 9. Stock (Zagreb-Tower), 10000 Zagreb, Tel. 01 / 4 88 10 50, www.bmeia.gv.at/oeb-agram
Schweizerische Botschaft
Ul. Augusta Cesarca 10, 10000 Zagreb, Tel. 01 / 4 87 88 00, www.eda.admin.ch/zagreb

Autofahren

Zwischen Mitte Juli und Ende August müssen am Wochenende lange Staukolonnen auf den Autobahnen, an den Grenzübergängen und vor den Fähren einkalkuliert werden. Höchstgeschwindigkeit auf Autobahnen 130 km/h, auf Schnellstraßen 110 km/h, auf Landstraßen 90 km/h, in geschlossenen Ortschaften 50 km/h. Zwischen Ende Oktober und Ende März muss das Abblendlicht auch am Tag eingeschaltet sein. Warnwesten und einen Extrasatz Glühbirnen nicht vergessen, so fordert es die Vorschrift. Sicherheitsgurte sind in Kroatien Pflicht, bei Alkohol gilt die 0,5-Promille-Grenze. Unfälle müssen der Polizei gemeldet werden.

Camping

Kroatien ist seit Jahrzehnten ein vorwiegend bei Ausländern beliebtes Campingland. Vor allem in Istrien und der Region Kvarner gibt es viele Plätze. Der Preis hängt vom jeweiligen Komfort und der Kategorie ab. In den vergangenen Jahren wurden viele Anlagen saniert und entsprechen europäischem Standard. Wild campen ist verboten, auch auf Parkplätzen. Einige Campingplätze sind FKK-Urlaubern vorbehalten. Eine Liste mit ausgezeichneten Plätzen hält der Kroatische Campingverband bereit (www. camping.hr).

Musik ist Trumpf: beim Stadtfest in Buzet.

Essen und Trinken

In der kroatischen Küche verschmelzen kulinarische Einflüsse von mediterranen, mitteleuropäischen und Balkantraditionen. Als **Vorspeise** sind der berühmte Pager Käse (Paški sir) und luftgetrockneter Rohschinken (Pršut) sehr beliebt. **Fisch** und **Meeresfrüchte** gelten an der Küste als die kulinarischen Könige, in Dalmatien ist Mangold mit Kartoffelstückchen (Blitva s krumpirom) die obligatorische Beilage zu Goldbrasse (Dorada), Seebrasse (Zubatac) und anderen Spezialitäten. Brudet (Brodetto) ist ein Fischtopf mit Zwiebeln, Tomaten und Kartoffeln, auf Hvar sollte man die Hvarska Gregada kosten: Fisch im Sud mit Kartoffeln und Gewürzen. In einigen Gegenden, wie am Limski-Kanal in Istrien oder in der Bucht von Ston auf der Halbinsel Pelješac, werden hervorragende Muscheln (Školjke) und Austern (Oštrige) gezüchtet. Auf den schroffen Inseln und im Karst ist **Lamm** (Janjetina) beliebt, entlang den Hauptstraßen wird oft **Spanferkel** (Odojak) gegrillt. Im Landesinnern Istriens hat sich in den vergangenen Jahren eine **Trüffel**kultur entwickelt, die immer mehr Lokale umfasst. In dieser Region kommen mitunter deftige **Fleischgerichte** wie mariniertes Schweinefilet (Ombolo) auf den Tisch, aber auch in Dalmatien kennt man Schmorbraten (Pašticada). **Vegetarier** finden in den meisten Lokalen etwas, sei es Risotto, Pasta, Gnocchi, Pizza oder gegrilltes Gemüse. Als **Dessert** sollte man in Dalmatien die Rožata, eine Art Crème brûlée, nicht auslassen. In Istrien locken Kroštule, ausgebackener dünner Teig.
Getränke: Zu den schmackhaften Speisen passen am besten ein roter Teran aus Istrien oder die südlichen Rotweine Plavac, Dingač und Postup. Wer Weißwein bevorzugt, findet überall in Istrien Malvazija, Žlahtina auf Krk, Faros auf Hvar oder Grk auf Korčula. Nach dem Essen wird oft ein Travarica (Kräuterschnaps), Biska (Mistelschnaps), Medica (Honigschnaps), Pelinkovac (Wermut) oder Orahovac (süßer Walnusslikör) serviert. Unter den Rakija, so der Oberbegriff für alle Schnapssorten, ist der Pflaumenbrand Šljivovica einer der bekanntesten.

Feste und Feiertage

Feiertage und arbeitsfreie Tage: 1. Januar: Nova godina (Neujahr); 6. Januar: Sveta tri kralja (Hl. Drei Könige); März/April: Uskrsni blagdani (Ostersonntag/-montag); 1. Mai: Praznik rada (Tag der Arbeit); Mai/Juni: Tijelovo (Fronleichnam); 22. Juni: Dan antifašističke borbe (Tag des antifaschistischen Widerstandskampfes); 25. Juni: Dan državnosti (Nationalfeiertag); 5. August: Dan pobjede i domovinske zahvalnosti (Tag des Sieges und der nationalen Dankbarkeit/Rückeroberung der Krajina 1995); 15. August: Velika Gospa (Mariä Himmelfahrt); 8. Oktober: Dan neovisnosti (Unabhängigkeitstag); 1. November: Svi sveti (Allerheiligen); 25./26. Dezember: Božićni blagdani (Weihnachten).
Große Feste und Festivals: Viele Ortschaften feiern ihren Schutzpatron mit einem großen Stadtfest. In Dubrovnik gedenkt man des hl. Blasius (Sv. Vlaho) am 3. Februar mit einer Kirchenprozession durch die Stadt.
Februar/März: Karneval, vor allem in der Region Kvarner, aber auch auf der Insel Lastovo.
Ostern: Sehenswert ist die nächtliche Osterprozession in Hvar, in der Nacht auf Karfreitag.
März/April: Kulinarische Festivals begrüßen die Saison des grünen, wilden Spargels.
Juli/August: Festspiele und Festivals, z. B. Sommerfestspiele in Dubrovnik oder Split; an der Küste werden oft Fischerabende (Ribarske večeri) veranstaltet, bei denen es Meeresgetier und Musik für alle gibt.
August: Mariä Himmelfahrt (15.8.) wird überall mit Kirchweih und Pfarrfest gefeiert.
September/Oktober: In Istrien wird die Saison der weißen Trüffel mit vielen Veranstaltungen eingeläutet, z. B. in Buzet und Livade.
November: An Sankt Martin (11.11.) wird traditionell der neue Wein gesegnet.

Geld

Bargeld lässt sich an den zahlreichen Geldautomaten im Land abheben. Gängige Kreditkarten werden in den meisten Geschäften, Hotels, Restaurants sowie an Maut- und Tankstellen akzeptiert (American Express, Diners Club, Eurocard/Mastercard, Visa). Gewechselt wird in Banken oder Wechselstuben (Mjenjačnica), die meist einen besseren Kurs bieten und in touristischen Regionen noch am Abend geöffnet sind. Mit Euro kann an den Mautstellen der Autobahn gezahlt werden. Die gesetzliche Alltagswährung in Kroatien ist Kuna (Kn), international auch HRK abgekürzt. 1 Kuna = 100 Lipa. Münzen gibt es in Stückelungen zu 1, 2, 5, 10, 20 und 50 Lipa sowie 1, 2 und 5 Kuna. Banknoten werden als 10, 20, 50, 100, 200, 500 und 1000 Kuna ausgegeben.

Info

Daten & Fakten

Allgemein: Die amtliche Bezeichnung Kroatiens ist Republika Hrvatska (Republik Kroatien), Kfz-Länderkennzeichen: HR. Hauptstadt ist Zagreb (knapp 780 000 Einwohner, mit Umland ca. 1 Mio.).
Landschaft: 87 700 km² Staatsfläche, davon 56 592 km² Land, der Rest auf See. An der Meeresküste 1244 Inseln, Riffe und Felsen. Am dichtesten besiedelt ist Krk mit knapp 18 000 Einwohnern. Die Küste hat eine Länge von 6278 km, davon verlaufen 1778 km auf dem Festland.
Bevölkerung: 4,1 Mio. Einwohner; Bevölkerungsdichte: rund 76 Einwohner/km². Auslandskroaten: Etwa 3 Mio., seit dem EU-Beitritt 2013 massive Abwanderung kroatischer Bürger.
Religion: Römisch-katholisch (87 %), serbisch-orthodox (4,4 %), Muslime (1,3 %), ohne Konfession (5,2 %), sonstige (1 %).
Wirtschaft: Seit dem EU-Beitritt Kroatiens 2013 erlebt das Land einen moderaten wirtschaftlichen Aufschwung. Auch wurden mit EU-Mitteln viele Infrastrukturprojekte in Angriff genommen. Die Kehrseite der Medaille ist die Abwanderung sehr vieler junger, qualifizierter Arbeitskräfte ins EU-Ausland, vor allem nach Deutschland. Die Jugendarbeitslosigkeit ist dadurch zwar gesunken, bleibt jedoch sehr hoch: Jeder Vierte ist ohne Job. Wichtigster Wirtschaftszweig ist der Tourismus: 2018 machten mehr als 20 Mio. Urlauber Ferien in Kroatien, Tendenz steigend. Deutschland, Slowenien, Italien und Österreich gehören zu den wichtigsten Außenhandelspartnern.
Sprache: Kroatisch ist die Amtssprache, geschrieben wird in Lateinschrift. In den touristischen Gegenden wird vielerorts auch Italienisch, Englisch oder Deutsch verstanden.
Politik: Kroatien ist eine parlamentarische Mehrparteienrepublik seit der Unabhängigkeit von Jugoslawien am 25.6.1991. Das auf vier Jahre gewählte Parlament (Sabor) mit Sitz in Zagreb kontrolliert die Regierung (Vlada). Wahl des Präsidenten auf fünf Jahre (derzeit Staatspräsidentin Kolinda Grabar-Kitarović). Premierminister ist seit Oktober 2016 Andrej Plenković von der Kroatischen Demokratischen Union (HDZ).

Oben: Ferienhausidylle bei Motovun. Unten: Livemusik im Hotel Miramar in Opatija.

Eispause am Hafen von Mali Lošinj.

Info

Geschichte

Um 1000 v. Chr.: Stämme der Illyrer dringen in die Adriaregion ein.

Um 500 v. Chr.: Griechische Handelsfahrer gründen Kolonien auf Vis, Hvar und Korčula.

Ab 200 v. Chr.: Der römische Einfluss wird stärker, die Provinz Illyricum wird Teil des Römischen Reiches.

395 n. Chr.: Dalmatien fällt ans Weströmische Reich.

Ab 6./7. Jh.: Landnahme durch die Slawen.

925: Tomislav wird zum ersten König der Kroaten gekrönt, eigenes Königreich.

1102: Der kroatische Adel geht eine Personalunion mit der ungarischen Krone ein.

1358: Venedig muss einige Küstenstädte an Ungarn abgeben, die Stadtrepublik Ragusa (Dubrovnik) bleibt unabhängig.

13.–17. Jh.: Dalmatien erlebt unter venezianischer Herrschaft seine Blütezeit.

1806: Napoleon erobert Venedig und übernimmt die Macht in Dalmatien.

1815: Der Wiener Kongress schlägt Dalmatien der K.-u.-k.-Monarchie zu.

1918: Ende des Ersten Weltkriegs und Zusammenbruch der Habsburger Monarchie. Das Königreich der Serben, Kroaten und Slowenen wird gegründet, die Monarchie besteht bis 1941/1945.

1929: Umbenennung in Königreich Jugoslawien.

1941: Besetzung Jugoslawiens durch deutsche Truppen. Josip Broz Tito, Generalsekretär der damals noch verbotenen Kommunistischen Partei, organisiert einen Partisanenkrieg gegen die Besatzer. Der Unabhängige Staat Kroatien (Nezavisna Država Hrvatska, kurz NDH) wird ausgerufen.

1945/1946: Bodenreform mit Enteignung von Ländereien.

1945: Gründung der Föderativen Volksrepublik Jugoslawien. Tito übernimmt die Regierung.

1948: Jugoslawien distanziert sich von Moskau und wird blockfrei.

1963: Umbenennung in Sozialistische Föderative Republik Jugoslawien.

1971: „Kroatischer Frühling": Die Reformbewegung fordert mehr Rechte und Autonomie für Kroaten; zahlreiche Verhaftungen.

1980: Nach Titos Tod verschärfen sich die Spannungen zwischen den Teilrepubliken Jugoslawiens.

1991: Unabhängigkeitserklärung Kroatiens.

1991–1995: Blutiger Krieg; serbische Besatzung v. a. des Hinterlands.

1992: Die EU erkennt Kroatien an.

2009: Kroatien wird Vollmitglied der NATO.

2013: Kroatien wird 28. EU-Mitglied.

2015: Die konservativ-christdemokratische Politikerin und Diplomatin Kolinda Grabar-Kitarović wird Staatspräsidentin.

2017: Ein EU-Schiedsgericht schlichtet den kroatisch-slowenischen Grenzstreit um die Bucht von Piran (Istrien) nach 16 Jahren zugunsten von Slowenien; Kroatien akzeptiert das Urteil nicht – es geht um den Zugang zu internat. Gewässern, Fischerei-Rechte etc.

2020: Rijeka ist (mit dem irischen Galway) Europäische Kulturhauptstadt.

Umrechnung auf der Website der Kroatischen Zentrale für Tourismus: www.croatia.hr

Gesundheit

Der medizinische Standard in Kroatien ist relativ gut, auf den Inseln gibt es zuweilen nur kleinere Krankenstationen. Die Ausstattung in Krankenhäusern entspricht mitteleuropäischem Standard. Die Europäische Krankenversicherungskarte (EHIC) der gesetzlichen deutschen Krankenkassen gilt auch in Kroatien; der Betrag für die Behandlung muss jedoch meist vorgestreckt werden. Es empfiehlt sich eine private Reisekrankenversicherung.
Apotheken: Mo.–Fr. meist 8.00–19.00, Sa. meist bis 13.00/14.00 Uhr.

Internet

www.croatia.hr: Hauptseite der Kroatischen Zentrale für Tourismus. Darüber hinaus unterhält jede Gespannschaft (Verwaltungseinheit) ein Portal, u. a. www.kvarner.hr, www.istra.hr, www.dalmatiasibenik.hr, www.visitdubrovnik.hr. Das kommerzielle Online-Portal www.kroati.de ist für erste Infos nützlich.

Kinder

Die Kroaten sind sehr kinderlieb. Eintrittspreise sind für Kinder ermäßigt.
Attraktionen: Urzeitfossilien kann man im Dino-Park bei Funtana bewundern (www.dinopark.hr), Gänsegeier auf der Insel Cres beobachten (www.belivisitorcentre.eu), junge Braunbären in der Schutzstation Kuterevo besuchen (Facebook: @kuterovobears). Kap Kamenjak hat einen Dino-Lehrpfad und einen Abenteuerspielplatz bei der Safari-Bar zu bieten. Beliebt sind der Aquapark Istralandia bei Novigrad (www.istralandia.hr) oder Aquacolors Poreč (www.aquacolors.eu).
Feiern: Internationales Kinderfestival Šibenik, Ende Juni/Anfang Juli (www.mdf-sibenik.com).

Literatur

Baedeker Reiseführer Istrien, Kvarner-Bucht (Ostfildern, 2018) und **Baedeker Reiseführer Kroatische Adriaküste, Dalmatien** (Ostfildern, 2018). Fundierte Informationen rund um Kultur, Kunst und Sehenswürdigkeiten. Gutes Kartenmaterial, detaillierte Städtebeschreibungen, Themen-Specials. Norbert Mappes-Niediek: **Kroatien. Ein Länderporträt.** Teils recht kritischer Blick eines Südosteuropa-Korrespondenten auf das Land (Berlin, 2. Aufl. 2011; ITB-Bookaward 2014).

Notruf

Einheitliche europäische Notrufnummer: 112; Panne: Kroat. Automobilklub HAK (www.hak.hr):

Reisedaten

Flug ab Deutschland: Einfache Strecke ab 40 € (Low-Cost-Anbieter) bzw. ab 200 € (Croatia Airlines, Hin-/Rückflug)
Inlandsverkehr: Busfahrt Zagreb–Split: ab 18 €
Reisepapiere (EU-Bürger): Reisepass oder Personalausweis; Kinder unter 16 Jahren benötigen ein eigenes Reisedokument.
Kfz: Nationale Zulassung und Führerschein, Grüne Versicherungskarte empfohlen.
Mietwagen: Ab 15 €/Tag bzw. 90 €/Woche (z. B. Kleinwagen, Nebensaison, über Vergleichsportal www.billigermietwagen.de)
Benzin: 1,40 € für 1 l Eurosuper 95 (europäischer Standard)
Strom: 220 V Netzspannung bei 50 Hz (kein Adapter erforderlich)
Menü: Tagesmenü ab 10 €, 3 Gänge mit Wein ab 25 €, Luxus ab 50 € pro Person
Espresso: Ab 1,10 €
Ortszeit: MEZ/MESZ

1987, vom Handy +385 1 1987; deutschsprachiger ADAC-Notruf in Zagreb: 01 / 3 44 06 66

Öffnungszeiten

An der Küste sind die meisten Geschäfte und Museen am Vormittag und ab dem frühen Abend geöffnet, mit längerer Mittagspause. Lebensmittelgeschäfte: meist 7.00–20.00 Uhr. In der Hauptsaison darf auch sonntags gearbeitet werden. Autobahntankstellen sind 24 Std. geöffnet.

Post

Postämter sind i. d. R. Mo.–Fr. 7.00–19.00 und Sa. bis 13.00 Uhr geöffnet. Eine Postkarte ins europäische Ausland kostet 8,60 Kuna Porto.

Reisezeit

An der Küste herrscht mediterranes Klima mit warmen Sommern und milden Wintern. Vor allem in der kälteren Jahreszeit kann der trockene, kühle Bora-Fallwind unangenehm werden. Badereisen empfehlen sich von Juni bis Anfang September, Hauptsaison ist im Juli und August. In der ersten Augusthälfte machen die meisten Kroaten Urlaub.

Restaurants

Das Preisniveau in Restaurants ist jenseits beliebter Touristenorte wie Dubrovnik insgesamt niedriger als in Deutschland. Die meisten Res-taurants haben bis 23.00/24.00 Uhr geöffnet, im Winter verkürzt. Die Winterpause dauert in der Regel von Oktober bis März oder April.

Preiskategorien

€ € €	Hauptspeisen	ab 15	€
€ €	Hauptspeisen	bis 15	€
€	Hauptspeisen	bis 10	€

Schiffsverkehr

Manche lokale Fährlinien werden nur im Sommer bedient. In vielen Häfen verkehren Taxi-Boote auf vorgelagerte Badeinseln. In den Touristenorten an der Küste werden Ausflugsfahrten angeboten, oft auch mit Fisch-Picknick. Wer sparen will, kann auch mit der staatlichen Reederei Jadrolinija auf eigene Faust auf die Inseln übersetzen und einen Tagesausflug machen.

Sicherheit

Minengefahr besteht u. a. im Hinterland der Küste zwischen Senj und Split sowie in den Bergen südöstlich von Dubrovnik. Hinweisschilder unbedingt beachten! Minengefahr besteht in der Regel nicht in Nationalparks, auf den Inseln oder in unmittelbarer Küstennähe.

Souvenirs

Spitzendeckchen (Insel Pag), Lavendelprodukte (Insel Hvar), Trüffelspezialitäten (Istrien), feines Olivenöl oder eine Flasche guten Wein (z. B. Teran oder Malvazija aus Istrien).

Sport

Baden: www.blueflag.global informiert über die Wasserqualität.
Golf: Der im Jahr 1922 eröffnete Platz im Brijuni-Nationalpark gehört zu den schönsten im Land, vergleichsweise neu (2009) ist der Golfplatz in Savudrija.
Kanu & Kajak: Vor allem der hohe Wasserstand im Frühjahr eignet sich für Wildwasserfahrten verschiedener Schwierigkeitsgrade auf Flüssen wie Dobra, Mrežnica, Cetina u. a. Lokale Anbieter veranstalten auch Rafting-Tagesausflüge.
Klettern: Steile Felshänge gibt es im Paklenica-Nationalpark, in Istrien (u. a. am Lim-Kanal) und bei Omiš.
Radfahren: Einige Regionen haben mit dem Ausbau und der Markierung schöner Radwanderstrecken begonnen, z. B. der Trasse entlang der ehemaligen Parenzana-Schmalspurbahn (www.istria-bike.com/de). Allein Istrien hat 2600 km Radwege. In den Ferienorten oder Hotels können Fahrräder und E-Bikes gemietet werden.
Drachensegeln: Beliebter Treffpunkt ist u. a. das Učka-Gebirge.
Segeln: Kroatien mit seinen größtenteils unbewohnten Inseln ist ein Segelparadies. Die Marinas sind teilweise sehr gut ausgestattet (www.aci-marinas.com).
Stand Up Paddle: Stehpaddeln gibt es inzwischen auch in vielen Touristenzentren, z.B. in Dubrovnik (www.dubrovnikdiving.com).
Tauchen: Wer mit Pressluft taucht, benötigt den Tauchschein, der auf ein Jahr ausgestellt wird (nur mit international gültigem Taucher-

Schwämme beispielsweise aus Trogir in Mitteldalmatien sind ein beliebtes Mitbringsel.

zeugnis). Infos in den Tauchzentren oder beim Kroatischen Taucherverband in Zagreb (Tel. 01 / 4 84 87 65, www.diving-hrs.hr).

Tennis: Umag ist das Tennis-Mekka. Training bietet z. B. Wagner Tennis (www.wagnertennis.at) oder auch das Bluesun Hotel Elaphusa auf Brač (www.bluesunhotels.com).

Wandern: Markierte Wanderwege, National- und Naturparks bieten ideale Voraussetzungen für Trekking- und Wanderfreunde. Der Hitze wegen ist die Hauptsaison für anstrengende Touren zu meiden. Vorsicht vor Landminen!

Windsurfing: Die besten Windverhältnisse in Istrien haben Premantura, Ravni und Rabac; Bucht von Preluk (Opatija); Punat und Baška (Krk), Zrće (Pag), Nin, Jadrija bei Šibenik, Bol auf Brač, Ruskamen bei Omiš und Podstrana bei Split. Im Sommer gilt der Strand von Viganj auf der Halbinsel Pelješac als bester Wind- und Kitesurfing-Ort.

Telefon

Vorwahlen aus Kroatien: Deutschland 0049, Österreich 0043, Schweiz 0041; Kroatien hat die Vorwahl 00385.

Roaming-Gebühren fürs Handy werden im EU-Land Kroatien nicht mehr fällig. Wer öffentliche Fernsprecher nutzen möchte, kann am Kiosk eine Telefonkarte kaufen.

Unterkünfte

Mittlerweile sind viele kleine familiäre Hotels entstanden, die meist guten Service und hausgemachte Küche bieten. Doch auch große Wellness-Resorts und internationale Luxus-Hotelketten entdecken die kroatische Küste zunehmend für sich. Vor allem im Landesinneren Istriens hat sich das Konzept des Agroturizam, wie der sanfte Tourismus in Kroatien genannt wird, durchgesetzt: Gäste übernachten beim Direktvermarkter meist in alten Natursteinhäusern und werden mit heimischen Spezialitäten verköstigt. Das Netz an offiziellen Jugendherbergen (www.hfhs.hr) ist überschaubar, in den Küstenstädten entstehen zunehmend private Hostels. Traditionell übernachtet man in Kroatien in Privatunterkünften: Zimmer (sobe) oder Appartements (apartmani) gibt es entlang der Küste. Eine Kurtaxe von bis zu 10 Kuna pro Person und Nacht wird erhoben.

Preiskategorien

€ € € €	Doppelzimmer	über 200 €
€ € €	Doppelzimmer	150 – 200 €
€ €	Doppelzimmer	100 – 150 €
€	Doppelzimmer	bis 100 €

Info

Wetterdaten
Hvar

	TAGES-TEMP. MAX.	TAGES-TEMP. MIN.	WASSER-TEMP.	TAGE MIT NIEDER-SCHLAG	SONNEN-STUNDEN PRO TAG
Januar	12°	7°	13°	9	4
Februar	13°	7°	12°	8	5
März	16°	8°	13°	7	6
April	18°	10°	14°	7	8
Mai	22°	15°	17°	5	9
Juni	27°	19°	21°	4	11
Juli	29°	21°	23°	2	12
August	29°	21°	23°	3	11
September	27°	18°	22°	5	9
Oktober	21°	14°	21°	8	7
November	18°	11°	18°	10	4
Dezember	14°	8°	15°	10	4

Ein Paradies für Segler sind die Kornaten, die auf ihren Inseln und Inselchen noch ursprüngliche Natur erleben lassen.

Register

Impressum

6. Auflage 2020
© DuMont Reiseverlag, Ostfildern

Verlag: DuMont Reiseverlag, Postfach 3151, 73751 Ostfildern, Tel. 0711 45 02-0,
Fax 0711 45 02-135, www.dumontreise.de
Geschäftsführer: Dr. Thomas Brinkmann, Dr. Stephanie Mair-Huydts
Programmleitung: Birgit Borowski
Redaktion: Achim Bourmer
Text und Aktualisierung 2020: Veronika Wengert
Exklusiv-Fotografie: Hans Madej
Titelbild: Getty Images/Pascal Boegli (Rovinj)
Zusätzliches Bildmaterial: S. 4 u. 96 getty/John & Lisa Merrill, 5 DuMont-
Bildarchiv/Frank Heuer, 8/9 Ingolf Pompe/LOOK-foto, 18 l. Thomas Stankiewicz/
LOOK-foto, 19 l.o. huber-images.de/Debelkova Lucie, 19 r.o. huber-images.de/
Erbetta Davide, 19 u. huber-images.de/Siebig, 30 l. DuMont-Bildarchiv/Frank
Heuer, 30 r. mauritius images / Wolfgang Weinhäupl, 31 u.l. Konrad Wothe/LOOK-
foto, 31 u.r. mauritius images/age, 33 ganz o. DuMont-Bildarchiv/Frank Heuer, 33
M. DuMont-Bildarchiv/Frank Heuer, 47 (3) DuMont-Bildarchiv/Frank Heuer, 46 o.r.
DuMont-Bildarchiv/Jan Kammerhof, 53 u. mauritius images/Alamy, 59 o. Hemis/
laif, 61 Robert Harding/LOOK-foto, 63 o.l. DuMont-Bildarchiv/Frank Heuer, 64 o.r.
DuMont-Bildarchiv/Frank Heuer, 65 o. dpa/CARLOS RODRIGUES, 73 u. (Special)
Bildagentur Huber/F. Damir, 75 l. dpa, 79 l. DuMont-Bildarchiv/Frank Heuer, 99
o.r. Robert Harding / LOOK-foto, 110 Frank Heuer, 111 o.M. Studio Blagec (Split),
111 u. l./r. Adriatic Luxury Hotels, 116 l.o. Frank Heuer, 117 DuMont-Bildarchiv/
Frank Heuer, 118 l. o./u. DuMont-Bildarchiv/Frank Heuer
Textquellen: S. 23: Katja Gasser, Zu Hause. Nirgendwo, S. 49–58, hier S. 50; 51:
Linda Dirks, Ein Schiff aus Weiß und ein Himmel aus Blau, S. 131–139, hier S. 137
Grafische Konzeption, Art Direktion und Layout: fpm factor product münchen
Cover Gestaltung: Neue Gestaltung, Berlin
Kartografie: © MAIRDUMONT GmbH & Co. KG, Ostfildern
Kartografie Lawall (Karten für „Unsere Favoriten")
DuMont Bildarchiv: Marco-Polo-Straße 1, 73760 Ostfildern,
Tel. 0711/4502-266, Fax 0711/4502-1006, bildarchiv@mairdumont.com

Für die Richtigkeit der in diesem DuMont Bildatlas angegebenen Daten –
Adressen, Öffnungszeiten, Telefonnummern usw. – kann der Verlag keine
Garantie übernehmen. Nachdruck, auch auszugsweise, nur mit vorheriger
Genehmigung des Verlages. Erscheinungsweise: monatlich.

Anzeigenvermarktung: MAIRDUMONT MEDIA,
Tel. 0711 450 20, Fax 0711 45 02 10 12, media@mairdumont.com,
http://media.mairdumont.com
Vertrieb Zeitschriftenhandel: PARTNER Medienservices GmbH,
Postfach 810420, 70521 Stuttgart, Tel. 0711 72 52-212, Fax 0711 72 52-320
Vertrieb Abonnement: Leserservice DuMont Bildatlas,
Zenit Pressevertrieb GmbH, Postfach 810640, 70523 Stuttgart,
Tel. 0711/7252-265, Fax 0711/7252-333,
dumontreise@zenit-presse.de
Vertrieb Buchhandel und Einzelhefte:
MAIRDUMONT GmbH & Co. KG, Marco-Polo-Straße 1, 73760
Ostfildern, Tel. 0711 45 02 0, Fax 0711 45 02 340
Reproduktionen: PPP Pre Print Partner
GmbH & Co. KG, Köln
Druck und buchbinderische Verarbeitung:
NEEF + STUMME GmbH, Wittingen
Printed in Germany

FSC
www.fsc.org
MIX
Papier aus ver-
antwortungsvollen
Quellen
FSC® C001857

Teneriffas spektakuläre Land-schaften begreift man erst vom Teide aus so richtig.

Feste werden auf Bali und Lombok ausgelassen und äu-ßerst bunt gefeiert.

Bali & Lombok

Insel der Götter
Urlauberspaß und Partystimmung im Süden, aber es gibt auch das andere Bali mit Reisterrassen, faszinierenden Berglandschaften und kulturellen Highlights.

Life is a beach
Die Strände auf Bali und Lombok punkten mit besonderem Flair – wir stellen Ihnen unsere Favoriten vor.

Im Reich der Drachen
Sie sind monströs, schuppig und haben eine gespaltene Zunge: die Komodowarane. Ein DuMont Thema entführt Sie ins Reich der Drachen.

Teneriffa

Die westlichen Kanaren
In diesem Band präsentieren wir nicht nur die große Insel Teneriffa, sondern stellen auch die kleinen westlichen Kanareninseln La Palma, La Gomera und El Hierro ausführlich vor.

Musik- und Maskentaumel
Karneval in Santa Cruz – alle Infos und viele Bilder zum zweitgrößten Karneval der Welt.

Schlemmen und staunen
Unser Autor hat für Sie getestet: die besten Restaurants, die ein gutes Essen samt tollem Ausblick bieten.

www.dumontreise.de

Lieferbare Ausgaben